Claudio Bernardes

texto de **Nirlando Beirão**
fotos de **Tuca Reinés**

Bernardes

Editor Alexandre Dórea Ribeiro

Coordenação Editorial
Andréa di Pace
Cecília P. M. Sicupira
Maria Silvia Amaral

Design Victor Burton

Assistentes de Design
Adriana Moreno
Miriam Lerner
Raphaella Lemos

Preparação Touché Editorial

Segunda Revisão Isabel Fernandes

Produção Gráfica
Victor Burton Design
Shadow Design

Fotolito Prata da Casa

Impressão
RR Donnelley

Este livro foi possível graças ao patrocínio de:
Caetano Veloso
Carlos Firme
Fátima Otero
Garden Center
House Garden
João Roberto Marinho
José Bonifácio de Oliveira Sobrinho
Laura Bournier Pascual
Richard Klein
Roberto Irineu Marinho
Vinícius Fernandes

Copyright© 1999/2009 DBA
Copyright© 1999/2009 projetos arquitetônicos herdeiros de Claudio Bernardes
Copyright© 1999/2009 texto apresentação Nirlando Beirão
Copyright© 1999/2009 fotos Tuca Reinés
Reservados todos os direitos desta obra.
Proibida toda e qualquer reprodução desta edição por qualquer meio ou forma, seja ela eletrônica ou mecânica, fotocópia, gravação ou qualquer meio de reprodução, sem permissão expressa do editor.

Agradecimentos

Alexandre Chade
Andreia e Fernando Correa da Costa
Artefacto
Betsy Monteiro de Carvalho
Caetano Veloso
Claudia Telles
Cristina Pierotti
Eduardo Mariani
Francisco Pierotti
Garden Center
Heiner Pflug
House Garden
João Roberto Marinho
José Bernardino dos Santos
José Bonifácio Oliveira Sobrinho
José Brafman
Laura Bournier Pascual
Luis de Freitas
Luiz Carlos Sousa Rosa
Mário Sérgio Luz Moreira
Miguel Pires Gonçalves
Milton Afonso
Monica Marinho
Sergio Elias
Walter Salles

[Handwritten dedication:] Dedico este livro aos meus clientes, pessoas que acreditaram que eu pudesse tornar seus sonhos realidade.

Claudio Bernardes

Claudio Bernardes e Paulo Jacobsen

A Paulo Jacobsen

Meu querido amigo e companheiro.
Como é bom compartilhar esses mais de vinte anos
em que dividimos a mesma mesa, somamos idéias,
descobrimos novas notas musicais, e com elas
montamos espaços que sempre comporemos
a quatro mãos.
Para você, parceiro, todo o meu carinho e
admiração.

É pau, é pedra, é o começo do caminho

Deve ser meio difícil para um arquiteto não experimentar, de vez em quando, a vertiginosa sensação de ser Deus. Com um traço, você cria o mundo. Ele se constrói. E você nem precisa botar a mão no barro.

Claudio Bernardes, porém, fez de sua arte de criar arquitetura uma aventura de dimensões humanas. Há 30 anos está na batalha e, em vez de empolar os conceitos, ao longo de sua carreira ele poliu uma recatada vocação. "Faço casas com amor", ele diz, e repete.

Só mesmo alguém em quem a modéstia e o talento se compatibilizem com razoável harmonia será capaz de dizer, e repetir, uma frase de simplicidade tão poderosa.

Vejamos: "fazer casas..." Eis aqui um arquiteto que adora dar às pessoas um lugar onde morar. Moradias, residências — melhor ainda: casas.

É simples. Nem parece coisa de arquiteto. Mas é para ele a melhor parte do ofício. "Ver, ouvir e sentir as pessoas; depois, sentar na prancheta e dar expressão ao que viu, ouviu e sentiu delas", explica.

E "fazer casas com amor" — isso, então, é radicalmente revolucionário. Amor, imaginem só. Amor — quem mais teria, neste contexto de pós-modernidade cínica e auto-suficiente, a extraordinária coragem de confessar um sentimento típico de damas achacadas do século XIX?

Nirlando Beirão

Bernardes
A psicanálise da prancheta

Vamos deixar claro: ele não tem nenhum compromisso com os rótulos da moda. Nem tem a pretensão de ser um revolucionário, embora admire os revolucionários, com a devida cautela. Gosta até de parodiar um deles. "Não perder a ternura jamais" — Claudio aplica à sua revolução em pau e pedra o mesmo conceito que o Che tinha de sua revolução de armas e barbas.

Convicções, sim, o dia-a-dia de um trabalho prolífico lhe deu muitas. Esta, por exemplo: "Arquiteto não precisa fazer curso de arquitetura; deve ler Freud".

Para ilustrar esta tese, Claudio Bernardes gostaria de lembrar... Claudio Bernardes. Que bem que tentou duas faculdades, esbarrando, em ambas, no mesmo professor de artes plásticas que tinha um prazer particular em persegui-lo.

"Um dia, me enchi: 'Com esse cara, não dá', lembra. Deixou a escola para ingressar na profissão, mesmo sem dispor do diploma exigido pela lei. Situação contornada com a providencial associação com Paulo Alfredo Jacobsen, arquiteto de carteirinha e amigo fraterno, a quem Claudio se sente ligado por laços mais insolúveis do que a muitos outros. "Um casamento de mais de 20 anos", brinca.

Com diploma ou sem diploma, a vocação veio se impondo sorrateira, não fosse ele filho de quem é — Sergio Bernardes, lenda viva da arquitetura brasileira. Claudio não fez planos, não

sonhou com a profissão, tinha até a desconfiança de uma incurável incompetência para a matemática.

Embora tentasse escapar do enredo edipiano da arquitetura, foi impossível para ele — como seria impossível para qualquer um — passar imune à experiência muito particular de viver 12, 13 anos de sua infância e adolescência numa casa da Avenida Niemeyer que era freqüentada por turistas com a reverência devida a um monumento arquitetônico. A casa, suspensa sobre o mar, entre as rochas e o mato, ostentava a assinatura de seu pai.

Claro que, nessas condições, a arquitetura era tanto o tema que o envolvia quanto o que poderia sufocá-lo e, assim, ele buscou estabelecer seu espaço profissional, todo pessoal, com a

mesma ânsia de independência que o fazia sair de São Conrado a bordo de seu barquinho de couro inglês para dar com os costados, solitário, livre, lá pelos lados de Ipanema. Experimentou sua primeira intervenção no espaço paterno ao pintar, por conta própria, seu quarto de preto e pendurar em cima da cama uma extraordinária quantidade de figas e ex-votos. "Na minha cabeça louca da época, eu buscava uma elevação espiritual", rememora. Depois, rabiscou as paredes com uns desenhos seus e botou uns móveis velhos de sua escolha.

Mas foi o pai quem deu a maior força ao vê-lo às voltas com aquele que seria o seu primeiro projeto: uma casinha em São Conrado. Claudio esfalfou-se na prancheta e de cara provou uma das mais conhecidas facetas do ofício. Levou um solene cano. "Foi uma lição interessante", ironiza. Mas pagou a pena o olhar carinhoso do pai adivinhando-lhe o futuro caminho, como paga a pena hoje em dia seguir os passos idênticos do filho Thiago, arquiteto sem diploma. Sentiu o empurrão paterno mesmo que jamais lhe tenha saído da cabeça a idéia de que "no fundo, o Bernardes preferia me ver dentista". Bernardes, ou, ainda mais freqüentemente, Bernardão", vem a ser o pai ilustre. Por sua vez, Claudio jura que prefere ver Thiago rabiscando papéis milimetrados a vê-lo obturando canais.

Página ao lado: Thiago, Sergio e Claudio Bernardes, três gerações de arquitetos

A psicanálise da prancheta

A partir daí foi montar prancheta e suar a camisa, no drible assumido e intencional da legislação. "Não sou médico, não tenho de abrir a barriga de nenhum paciente", diz ele.

Não abre a barriga do paciente mas abre a alma do cliente. Ou deveria abrir, pensa Claudio Bernardes. "Projetar uma casa é a típica situação de fazer junto", define. Psicanálise pura: você tem de liberar a fantasia do dono, seu sonho, seu desejo, mas deve respeitá-lo naquilo que há de mais profundo em uma relação humana — a identidade de cada um. "O dono é quem dá o limite", — explica —. "Senão, eu vou em frente".

Um terapeuta chamaria de tensão criativa. Da dinâmica permeada pelos sonhos — o do cliente e o do arquiteto —, nasce a realidade muito concreta do teto e das paredes. É um puxa-pra-lá e um puxa-pra-cá em que Claudio, revela paciência de monge budista quando o fio da meada lhe escapa do controle. Num extremo de concessão já fez escadaria tipo "E o Vento Levou..." em mansão de um banqueiro da contravenção ("Afinal, se ele tinha advogado, motorista, por que não haveria de ter um arquiteto?" — pensou Claudio). Mas, sossegado em sua sedução, quase sempre consegue incendiar com seu impecável bom gosto a chama de bom senso do interlocutor.

A arte do projeto arquitetônico é um mergulho profundo na intimidade alheia. "Você passa meses dormindo com aquela pessoa", define Claudio. Há revelações, sustos, surpresas. A casa é uma terapia de família. Certa vez, uma cliente lhe pediu um quarto só para ela, um quarto só para o marido e um quarto de encontro para os dois. Claudio Bernardes deliciou-se com a delicadeza da idéia e com delicadeza a realizou — um quarto de encontro com harmonia japonesa, tatami e futon, em meio ao suspiro de águas que inspiram o amor.

Num apartamento do Leblon, a música que predomina é a do fitness e do work out e, diante do inescapável dever de transformar parte do espaço numa academia de ginástica, o que fez Claudio Bernardes? Ele projetou a academia, com os espelhos produzindo o efeito de uma construção no abismo.

Quando ele fala em esticar os limites da fantasia, é bom tomar ao pé da letra. Não é qualquer um que imagina uma casa com paredes de onde escorrem cascatas de água ou cujo teto de vidro seja uma piscina de verdade. E não é qualquer um que aceita viver numa casa assim.

É por isso que ele gostaria de só trabalhar "para quem eu sentisse empatia". Pai, mãe, filhos, casais, solteiros, desgarrados — mas gente de pele e osso. "Eu não faço projeto para prêmio. Faço projeto para a vida".

Escutando a floresta

Começou a aprender isso, na prática, no dia em que produziu sua primeira obra naquele canto de mundo enfeitiçado de magia agreste que acabou se tornando o típico território Claudio Bernardes de arquitetura: Angra dos Reis. Uma baía com tantas ilhas quanto os dias do ano, de água esmeralda e vegetação tão extrovertida e rica que não cabe nas suas bordas, projetando-se descabeladamente para dentro do mar.

A casinha de 36 metros quadrados na Ilha das Palmeiras, dois cômodos, dois pavimentos; ele a projetou na contramão de todas as expectativas: voltou sua face para a mata virgem, virou as costas para o mar. O arquiteto conhecia bem o cliente. Sabia que, por mais de uma década, ele costumava despertar com as ondas do mar estourando ao pé de sua janela. Arriscou: quem sabe ele não iria preferir, naquela imensidão de Atlântico, acordar escutando os pios dos pássaros e os enigmáticos sons da floresta?

Assim se fez, e a casa, peculiar em sua geografia, continua lá, embora tenha trocado de dono. O dono a quem Claudio Bernardes conhecia tão bem era, por acaso, Claudio Bernardes.

Nos fins de semana, podia-se surpreendê-los, a ele e à mulher Bebel, no barco a remo, pontinho minúsculo no infinito de Angra — uma hora e meia de tenazes braçadas, de Icar até as Palmeiras, para desfrutar da alvorada dos passarinhos e dos aromas tropicais da

floresta. Não satisfeito, plantou árvores altas no gramado, a quatro metros de distância uma da outra, e ficou esperando pelo dia em que iria esticar redes, várias redes, para acalentar os filhos e os amigos.

Em Angra, de pé no chão

Cem casas exibindo a marca Claudio Bernardes Jacobsen pontilham hoje aquilo que é a melhor imitação que o Brasil faz do paraíso. Cada projeto é o espelho da fantasia e do sonho de cada proprietário; no entanto, acontece em Angra a curiosa circunstância de você bater o olho numa determinada casa e dizer: "É do Claudio". Descontadas duas ou três imitações que o arquiteto não vê como ofensa, mas como homenagem, você estará com certeza acertando.

Eis o paradoxo de Claudio: ele não quer se aprisionar dentro da moldura de nenhuma escola arquitetônica, no entanto, parece ter criado a sua própria; insiste em não impor ao cliente o autoritarismo de concepções fechadas, mas tudo o que faz acaba guardando a marca inconfundível de algum princípio, de dois ou três conceitos e de uma inabalável coerência estética. Iguais, em sua diferença. Talvez seja a isso que as pessoas, desde Aristóteles, chamem de estilo. E, para um criador, estilo é fundamental.

Angra consagrou o estilo Claudio Bernardes, mas poderia tê-lo acorrentado à prisão dos clichês. Com as melhores das intenções, falam, por exemplo, em sua "visão tropical da

residência". Ele desconfia do estereótipo: "É um reducionismo, parece que só faço casa de praia". Certa vez, disputando uma concorrência, ele ouviu de outro arquiteto aquilo que parecia ser um elogio amigo: "Você vai concorrer com uma daquelas suas cabanas de índio?" É assim que alguns gostariam de classificar: construtor de oca, programa de índio.

Será Claudio Bernardes, no fundo, no fundo, um hippie tardio? Bem, como não tem compromisso com a doutrina e com a escola, ele não precisa tampouco temer certos rótulos. Assumidamente aprecia "a simplicidade e a genialidade de uma oca". Vê, sim, nos índios brasileiros interessantes arquitetos. Também fala bem da "modernidade rústica, pé no chão" do país.

Quer ver os arquitetos de fardão ou os frenéticos da pós-modernidade arrancarem os cabelos? Pois Claudio Bernardes gosta de prestar homenagem ao que chama de "confortável e ecológico". Assim, com simplicidade.

Palha, treliças, cipós, junco, bambu, pedras, granito, toras de madeira — os elementos que caracterizam, em Angra, o inconfundível estilo Claudio Bernardes são aqueles que estão ao alcance da mão. São banais, imediatos, simples — os elementos da terra. Mas é aí que entra o toque do criador, o que define um estilo, o que reitera a originalidade: o modo como transforma o espaço, a interação dos elementos naturais, o uso da luz, a confluência das cores. Os elementos que ele manuseia em seu ofício de construtor estão ao alcance das mãos, mas o segredo do enigma Claudio Bernardes está na sofisticação com que ele mistura suas tessituras, rearranja os materiais no espaço, surpreende-os num

So é singelo aquilo que é preciso

Acima: Prospecto de casa da Vila Oeiras, na margem norte do Rio Araticu

Ao Lado: Maloca do gênio Curutus, à margem oriental do Rio Apaporis

Desenhos publicados em *Viagem Filosófica às Capitanias do Grão-Pará, Rio Negro, Mato Grosso e Cuiabá, séc XVIII* de Alexandre Rodrigues Ferreira

delirante jogo de transformações. A revolução que Claudio Bernardes faz não precisa senão de pau, pedra, luz e água.

Tiras de cipó que entrelaçam as junções do madeirame. Estruturas metálicas pintadas com aquele zarcão das baleeiras. Ele usa e abusa de cores tropicais e ainda por cima as reforça com frisas e tiras que lembram pinturas caiapós ou vasos marajoaras. Folclore? Fricotes decorativos? Não, nada é gratuito. Não há desperdício em um único de seus gestos arquitetônicos. Ele é grandioso na discrição. Não é palavroso, não cultiva a exuberância. Mas também não quer fingir a espontaneidade de um pintor naïf *— sua obra é cerebral. Ele produz instalações. Sua expressão é visceralmente artística. A cabeça, sempre ligada, busca a beleza essencial.*

A primeira de suas palafitas nasce do duplo fascínio da água e da mata de Angra dos Reis. Aquele verde primevo era frondoso demais para ser submetido a uma cirurgia — o corte arquitetônico de uma casa, fosse ela como fosse. Simples, pensou Claudio Bernardes: preserva-se a mata, constrói-se sobre as águas. Bem, é o tipo da simplicidade que cobra segurança nos cálculos e tenacidade na empreitada. Dois anos de obras, um só para fincar os pilares de concreto no fundo do mar — sem contar a dificuldade natural da região, onde todo e qualquer material de construção tem de ser transportado por barco.

Hoje, você passeia à frente daquela estrutura idílica das casas de piaçava e pode se iludir com seu aparente despojamento e com a naturalidade harmoniosa de seus materiais. Aquilo está longe de ser um projeto blasé. *Há muito suor e muita técnica sustentando aquela simplicidade. A água chega a quatro metros, quando a maré subia. As fundações exigiram o trabalho de escafandristas. E, para não esquecer os tetos de palha Santa Fé que, graças a Claudio, passaram a emoldurar a paisagem de Angra: os autênticos, os originais, são pachorrentamente tecidos por um mesmo e impecável artesão.*

O resultado é que as tais palafitas sustentam geralmente um pé direito digno de salões imperiais, 8,5 metros, no caso da atual casa do próprio Claudio Bernardes. Espaço interno tão generoso é um convite permanente para que a natureza se aproxime, com seus rumores, suas brisas, seus perfumes. O arquiteto intervém, mas não exclui a paisagem, não a repele. A natureza, viva, se aproxima e, com o tempo, se integra.

"Parceiro da natureza", já escreveram a respeito dele. Ele se sente lisonjeado com uma definição dessas. Sabe que o arquiteto costuma ser o agente de uma violência. Mas se consola em saber que a violência não é fatal. "Você implanta um caminho de pedras, aquela coisa bonitinha, esteticamente adequada", explica ele. "Mas eu só fico feliz quando o musgo impregna a pedra, ou quando a craca gruda no pilar... Aí, sim, tenho certeza de que a natureza está dialogando comigo."

Um dos elogios que recebeu publicamente de seu pai — homem, diga-se, bastante reservado no que diz respeito a elogios —, foi o de que Claudio "é o garimpeiro da poesia". Se Sergio Bernardes nos permite uma tradução mais literal, o que ele está dizendo é que o filho tira poesia da pedra.

O infinito começa em Guaxindiba

Se pudesse se dar um presente para si mesmo, Claudio Bernardes não vacilaria: uma casa submarina. De todos os elementos que convergem para criar sua linguagem arquitetônica — "a linguagem do bem-viver", como diz — a água aquele que mais o desafia e mais o recompensa. Em Angra, é claro — mas também na cidade ou na serra, a água é a paisagem obrigatória.

"Acho que nasci japonês", é a explicação que o próprio Claudio

diverte-se em dar. A bem da verdade, ele nunca foi ao Japão, mas tem o Japão entre suas referências culturais. Interessa-se especialmente pela arquitetura japonesa. Mas alerta para alguns modismos supostamente orientais. Admira-se, por exemplo, que as pessoas paguem tão caro por superstições como o feng shui. "A única coisa básica na posição de uma casa é que ela esteja voltada para o nascente", reza o seu credo. E nem isso é um dogma inabalável: como aconteceu na sua casinha da Ilha das Palmeiras, e em muitas outras, frente e verso dependem exclusivamente do gosto do freguês.

Claudio nasceu no epicentro da agitação urbana, Copacabana, anos 50, Rua Toneleros, num apartamento amparado em uma encosta, de onde se pôde com certeza ouvir os tiros do famoso atentado contra o jornalista Carlos Lacerda, em 1954. Mas, desde cedo, os melhores prazeres de sua vida estão associados ao barulho do mar. O pai tinha uma ilha no fundo da Baía de Guanabara, chamada Itaoquinha — não muito distante de Paquetá. Uma casa do tempo da invasão francesa guardava memórias fantasmagóricas do passado, mas, a rigor, a única história efetiva que se conhecia do lugar era a de que tinha passado sua lua-de-mel ali, poucos anos antes, o Tarzã da Metro, Johnny Weissmuller.

Três meses de férias escolares, de dezembro a março, eram o convite para aventuras ao ar livre, horizonte sem limite, o mar como parceiro. Brincava com os irmãos de desenterrar tesouros inúteis — velhas patacas de cobre e ossos de baleia. Mas, um dia, arrancou uma cortina do banheiro, construiu um barquinho à vela, o tenaz "Curuca", e saiu baía adentro, até o rio Guaxindiba, para ver — e viu, embora ninguém tenha acreditado na época — o boto cor-de-rosa. Itaoquinha era um lugar que tinha seu fascínio poético. Um dia Claudio viu a filha do caseiro português tentando pegar vagalumes. O pai estranhou: "O que é isso, filha?" E ela: "Estou catando estrelas, pai."

Barcos num mar de vermelho

Com o olho da curiosidade e do prazer, Claudio descobriu as possibilidades infinitas do espaço. Observa sempre as coisas em volta como se as estivesse vendo pela primeira vez. Ainda hoje, ele prefere assim, a procura livre e diletante da forma, a descoberta sem compromisso da moldura. O desfrute que ele encontra, por exemplo, na pintura e na escultura não implica filiação cultural ou adesão religiosa. Se gosta de uma tela de Tomie Ohtake, por exemplo, ou de Rubens Gerchman, ou de um John Nicholson, é simplesmente porque ele bate o olho e aquilo lhe traz algum tipo de encanto, lhe diz alguma coisa. Ele se sente dispensado de analisar o sentido mais denso da expressão artística.

Naturalmente, a pintura, a escultura, as artes plásticas em geral lhe dizem respeito. Ele até as experimentou — mais de uma vez. Na adolescência, perambulou pelas ladeiras de Ouro Preto acompanhando a palheta e o tripé famosos de Alberto da Veiga Guignard. O pintor chegou a dedicar uns desenhos àquele pupilo atento e fiel. Depois, no Rio, Claudio teve aulas com Terezinha Vieira. Desenhava adivinhem o quê? Barcos. Viveu seu momento de consagração artística quando um curador do Museu de Arte Moderna de Nova Iorque, em visita à casa do pai, ignorou os Portinari e Di Cavalcanti para se debruçar sobre duas pequenas marinas. Claudio se apresentou: "São minhas". Ele tinha vendido os quadros à mãe. Vendeu-os de novo ao crítico de Nova Iorque, e passou os seis meses seguintes torrando o dinheiro num exílio quase milionário em Salvador, Bahia. Foi Carybé, o ilustrador de Jorge Amado, quem ligou para o pai dele, denunciando seu destino.

Teve uma ou outra recaída, como naquela vez que gastou dois mil dólares em tintas e pincéis, em Paris. Tem no seu acervo panos pintados e uns croquis para tapetes. Mas desistiu definitivamente quando sentiu que "a mão endureceu". Ou, como ele próprio explica, que "o traço do arquiteto não tem nada a ver com o traço do artista".

Ficou-lhe, daquele tempo, a lembrança de uma relação meio obsessiva com o

vermelho. Certa vez ouviu de Tomie Ohtake, uma cuidadosa, delicada observação: "Sua cor é vermelho, né?" Sim, é, admite. Ele acha que lhe dá sorte. Hoje há sempre, em qualquer ocasião, um detalhe cor de sangue em sua roupa. Claudio Bernardes não virou artista, mas ampliou a arte de sua arquitetura para territórios que vão muito além do convencional. Lojas de decoração, bares, restaurantes, prédios, condomínios, clubes noturnos fazem parte do repertório de seu ecletismo. Sua caneta cria novidades, promove reformas e restaura preciosidades. Sua parceria com Paulo Jacobsen costuma significar a administração simultânea de um total de 30 a 50 projetos. E nenhum dos dois se acha importante demais para não cumprir o rito básico do arquiteto: a visita à obra.

Um homem que se diz nascido para expandir os espaços alheios — os externos e também os internos — não pode encolher o seu próprio domínio. Claudio adora decorar, com seus móveis, os apartamentos que ele cria. "É um trajeto natural, quase óbvio", diz ele. Como suas casas, seus móveis obedecem ao mesmo catecismo: beleza e conforto. Não pretende disputar concursos. Claudio os faz na medida e em harmonia com o projeto, mas também acha natural que o dono da casa tenha outros planos e prefira ocupar o espaço à sua própria feição e gosto.

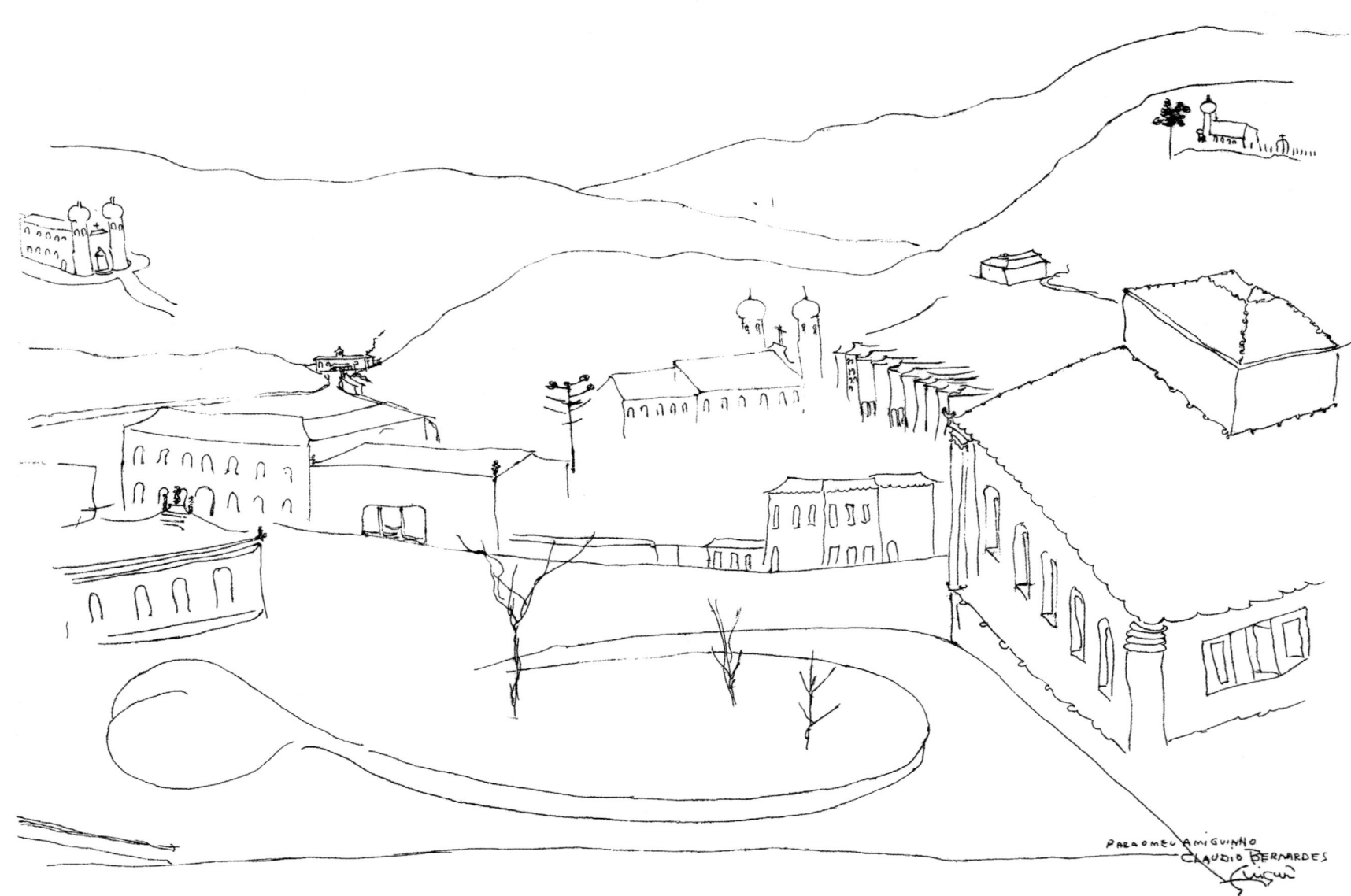

O arquiteto sobe o morro

O arquiteto das moradias não é nenhuma ilha. Ele constrói casas ou retoca tetos para uns poucos mas também é capaz de olhar em volta e ver as consequências do viver coletivo — aquilo que, nos bancos escolares, chama-se eventualmente de urbanismo. Se você mora no Rio, você vê, por exemplo, a favela. Vê a Rocinha a caminho do trabalho na Barra. E vê a própria Barra. "Não dá para não ver", resigna-se Claudio.

Duas expressões do que há de mais selvagem no capitalismo, a Barra e a Rocinha lhe tocam na alma de forma diferente. A Rocinha, conglomerado sub-humano, desperta o romântico que dormita no arquiteto. "Pode parecer meio bobo, mas a Rocinha tem salvação", diz ele. Ele gosta do bom gosto dos casebres coloridos. Sabe que a especulação imobiliária já é uma realidade naquelas vielas que escorrem do morro no sulco das enxurradas. Mas, nesse caso, acha que a mercantilização do espaço pode produzir uma solução arquitetônica original e harmoniosa. E olhem que Claudio não é daqueles que querem edulcorar a miséria, não fez opção preferencial pelos pobres.

Ninguém está aqui para se iludir. Os morros serão ocupados — aqueles que ainda não o foram. Trata-se, portanto, de definir desde já as regras de uma ocupação que favoreça o conjunto da comunidade e a cidade. A tática do avestruz leva ao caos. É por isso que seu escritório anda às turras com aqueles que preferem deixar as encostas à brigada espontânea dos sem-teto. É uma batalha complicada. Quem viver, verá.

A Barra, não — a Barra é a face mais horrível do capitalismo predador. Claudio tem seu escritório lá e teve de produzir uma espécie de bunker murado para proteger qualquer senso estético, seu e da clientela, da agressão do ambiente externo. "Chamaram de visionário meu pai, o Bernardes, quando, nos anos 60, ele propôs um projeto de implantação urbanística para a Barra", lembra o filho. "Visionário ele era, sim. O resultado teria sido muito melhor do que isso".

Isso, quer dizer: o que o capitalismo ainda pode fazer de bom para os pobres da Rocinha, fez de mau definitivamente para os novos ricos da Barra. "Por culpa dos construtores sem escrúpulos, aquilo virou uma Miami do Terceiro Mundo", define Claudio, que aliás não tem nada contra a genuína Miami e até se orgulha de ter assinado duas ou três reformas por lá.

O arquiteto olha com angústia para a favela encarapitada no céu, mas tem ímpetos de arrancar os cabelos mesmo ao trafegar pela ocupação urbana da, digamos, elite. "Perdeu-se toda e qualquer identidade arquitetônica", lamenta. A relação dele com a cidade — com as cidades — não é conceitual. É uma vivência cotidiana. Ele não está

Acima: Desenho de barcos com lápis de cera realizado pelo arquiteto aos 13 anos
Na página ao lado: Desenho de Alberto da Veiga Guignard com dedicatória ao menino Claudio de 12 anos.

conforto. Vai construir uma casa na serra: busca explorar ao máximo as possibilidades vertiginosas da altura. O projeto é na praia: que tal deixar a água aproximar-se, no remanso das marés, e as árvores virem espiar as janelas, sorrateiramente? Agora, é um escritório na cidade: ambiente de trabalho, sério e aborrecido, então trata-se de envolvê-lo num ambiente de delicadeza. Ampliar o espaço, sempre que possível. Mas fechá-lo, circunscrevê-lo, quando necessário — com janelas virtuais, paredes salpicadas de telinhas e telões. Não há regra a seguir, senão a troca recíproca de insights e desejos.

A cidade moderna aprisionou o homem. Mesmo sem ser Deus, o arquiteto pode ajudar na tarefa de libertá-lo. Subiram os muros das casamatas, sobrou o espaço circunscrito das telinhas e de uma realidade virtual. O contato é eletrônico. A comunicação, impessoal. Mas se o arquiteto ainda continua acreditando nas virtudes do bem-viver, nem tudo está perdido. Extrapolar os sentidos, ampliar o espaço — mesmo se você estiver encerrado num cubículo. Claudio não é um nostálgico do tempo perdido. É um artesão de sua era. Conhece o mundo à sua volta. Sabe que a cidade é hostil em sua arquitetura do caos e do privilégio. Mas, com uma generosidade quase ingênua, não vai entregar os pontos. Afinal, sua utopia é construída em terra firme.

atrás da pedra filosofal do saber urbanístico. "A questão não é de fórmula, é de atitude, é de cultura", afirma.

No território virtual

Em seu descompromisso doutrinário, Claudio persegue apenas aqueles conceitos rés-do-chão como beleza e

Em tempo

Claudio Bernardes nasceu no dia 23 de março de 1949. É Áries, mas não acredita em horóscopo. É casado há 26 anos com Bebel e tem três filhos: Olívia, Thiago e Antônia. Olívia é casada com Pedro. Antônia, com Rodrigo. O patriarca não é do tipo que os obriga a comparecer a almoços domingueiros mas gosta de ter a família por perto; assim como ainda gosta de deitar, adulto, a cabeça no colo da mãe e gostava de acompanhar, criança, o pai a bordo de infernais baratinhas de corrida, em periclitantes provas de velocidade que começavam no Posto 6 e iam terminar, entre curvas sinistras, no alto da Serra de Petrópolis.

"Os arquitetos nascem arquitetos, e Claudio nasceu...

...Tão pleno de tal sensibilidade, que foi levado a transformar sua vida em uma busca permanente da beleza!!!

Os espaços criados por ele não têm presença, senão uma musicalidade composta pelo jogo do encontro de luzes e sombras.

A arquitetura sabiamente nos afastou; no entanto, é ela que une nossos espíritos garimpeiros de uma mesma matéria - a poesia - contida na beleza que gera os espaços!

Sergio Bernardes

Depoimentos

"Filho de quem é, um velho amigo meu, não me espanta o talento de Claudio Bernardes.

O mesmo apuro ao elaborar a sua arquitetura, o mesmo discernimento na escolha dos materiais a utilizar e aquela preocupação com a beleza que marca e caracteriza a boa arquitetura.

Olho as fotos apresentadas neste livro e me surpreendo com a qualidade das casas que construiu. Lindas, acolhedoras, com o sapê das cobertas tocado pelos ventos.

E, em todas, uma unidade, uma integração com a natureza e um bom gosto exemplar".

Oscar Niemeyer

"A prancheta de Claudio Bernardes é o seu próprio olho. Ele vê e pronto: já está concebido. Como não passa por intrincadas soluções, o que ele cria é simples, bonito e funcional. Um projeto de Claudio é para ser visto e admirado, para ser usado e desfrutado. Bendito olho do Claudio!"

Boni

"Estamos assistindo neste fim de século a um inquietante e crescente processo de mediocrização cultural. A globalização trouxe consigo uma imposição de padrões estéticos que conduz cada vez mais a uma banalização do olhar. O reflexo na arquitetura é imediato. Acordamos numa cidade e não sabemos mais onde estamos. Todas se aparecem, resultado de uma espécie de McDonaldização da arquitetura contemporânea.

Por sorte, existem arquitetos que resistem a este estado de coisas. Que têm uma visão autoral de seu ofício, e que pesquisam as origens da arquitetura realizada nos seus países para avançar e inovar.

Claudio Bernardes é um dos mais brilhantes criadores desta fina escola. É um mestre da forma livre, da integração entre aquilo que é construído pelo homem e a natureza. Cria espaços que se mesclam delicadamente a um meio-ambiente, e que não se impõem de maneira autoritária. É uma arquitetura apaixonada pela geografia brasileira e por isso mesmo apaixonante.

Claudio também sabe como poucos romper a tensão decorrente da expectativa de quem lhe pede um projeto e sua visão única, pessoal, daquilo que este projeto deveria ser. Por isso, o leitor poderá perceber neste livro aquilo que qualifica os bons artistas: a existência de um olhar que permeia a obra como um todo. É um feito cada vez mais raro".

Walter Salles

"Claudio Bernardes é meu velho amigo que, antes de se tornar meio paulista, vinha me visitar mais. Hoje, ele é arquiteto de muito bom gosto e de uma grande engenhosidade.

É dessa engenhosidade, que eu acho que é muito pessoal do Claudio, o que mais gosto no trabalho dele. Que é uma mescla do artesanato e do industrial, o industrial no material e o artesanal na mão de obra, resultando em espaços formados por superfícies mais ou menos transparentes, portanto sempre muito vazados e leves, com uma sensação muito "amigável", confortável e de extremo bom gosto.

"A solução deste tipo "amigável" traz, no entanto, embutida, sem se mostrar, uma grande tensão que dá o ar contemporâneo da arquitetura
(ou da arte)"

Tomie Ohtake

Apresentação

Conheci Claudio quando eu tinha 21 anos, voltando de um período na Europa, onde tinha ido estudar fotografia. Voltei para o Rio disposto a trabalhar em arquitetura, e principalmente para, assumir uma nova vida com Monica, minha mulher até hoje. Meio hippie e de esquerda, percebi no Claudio um refinamento que transcendia os aspectos sociais e políticos que sempre me atavam a modelos. Esse "desligamento" das normas vigentes e do óbvio é o que melhor define o Claudio; e com isso o seu trabalho, a sua vida e principalmente a sua força. O compromisso é com a vida, se é morro acima ou ladeira abaixo, tanto faz. A coerência está na paixão, no amor, que percebemos em alguns segundos, vividos descaradamente.

As cores, formas e dimensões são resultados de toda uma relação com as coisas e, principalmente, com as pessoas. Seja cliente, peão, rico ou pobre, é sempre o mesmo approach, de igual, de gente.

Essa força foi inicialmente colocada no arquipélago de Angra dos Reis, um paraíso de ritmo quase primitivo.

Influenciado pelo lugar e por seu pai Sergio Bernardes, Claudio criou uma filosofia construtiva que privilegia o encontro do tradicional com o inovador. O que prevalece nesta mescla de interesses é o cliente, ele "é o equilíbrio da balança".

A procura de efeitos provocantes e rítmicos é sustentada por ambientes sempre tingidos por cores, mesmo que sejam o branco e o preto, texturas que mudam de acordo com a luz.

Claudio imprimiu nos projetos a idéia de uma cultura internacional, ligando de forma muito íntima as tradições brasileiras e criando um estilo próprio, quente e acolhedor.

Compartilhar mais de vinte anos de trabalho com ele foi um privilégio que agora toma forma, como se todos esses anos estivessem condensados em um livro.

Tentei descrever na abertura de cada projeto as lembranças dos sentimentos de cada trabalho, o que mais nos impressionou para tomarmos as decisões.

Espero que este não seja "O Livro" e sim o começo de um outro livro.

Casa da Alameda 28 Casa do Jardim Botânico 36 Casa do Leblon 40
Casa da Gávea 46 Casa da Memória 52 Casa da Cor 62 House Garden 66
Casa da Varanda 72 Apartamento Urbano 80 Casa do Horizonte 84
Apartamento do Caetano 88 Casa da Joatinga 94 Espaço Artefacto 98
Galpão Garden Center 104

Casa da Palafita 110 Casa do Boi 116 Casa do Claudio 122 Casa da Maria Farinha 132
Casa do Canal 142 Casa da Luz 146 Casa do Cavaco 150 Casa do Portogalo 156
Cabana da ilha das Palmeiras 162 Casa do Moitão 166 Cabana da Comprida 170
Fazenda da Gipóia 174

Casa Rosa 184 Casa da Ponte 188 Pavilhão da Serra 192
Casa Vermelha 200

Cidade

Mar

Serra

Cidade

Casa da Alameda 1987
É no mínimo curiosa a nova forma de arquitetar no Rio de Janeiro, e a Barra da Tijuca, talvez, seja o seu símbolo. Desumana, copista e principalmente, árida. Esta arquitetura me espanta por seu desligamento da realidade geográfica. Na Barra tudo nasce e floresce. Os jardins poderiam ser lindos, emoldurados por seus lagos naturais. O sonho de projetar neste paraíso natural um grande espaço em que se pudesse atuar facilmente no terreno, criando suaves elevações entremeadas por flores e sombras, nos foi proporcionado alguns anos atrás. Não foi difícil usar uma linguagem mais industrial, com pilares e vigas metálicas, entremeados por elementos naturais que amenizaram o caráter frio de uma construção quase como um galpão.

Os tons da natureza penetram no interior da residência

A estrutura industrial do domus que integra as salas aos quartos (como se fosse um jardim interno) é amenizada pelo uso de pedra sabão no piso e palha nas paredes. As instalações aparentes são muitas vezes usadas como elementos de design

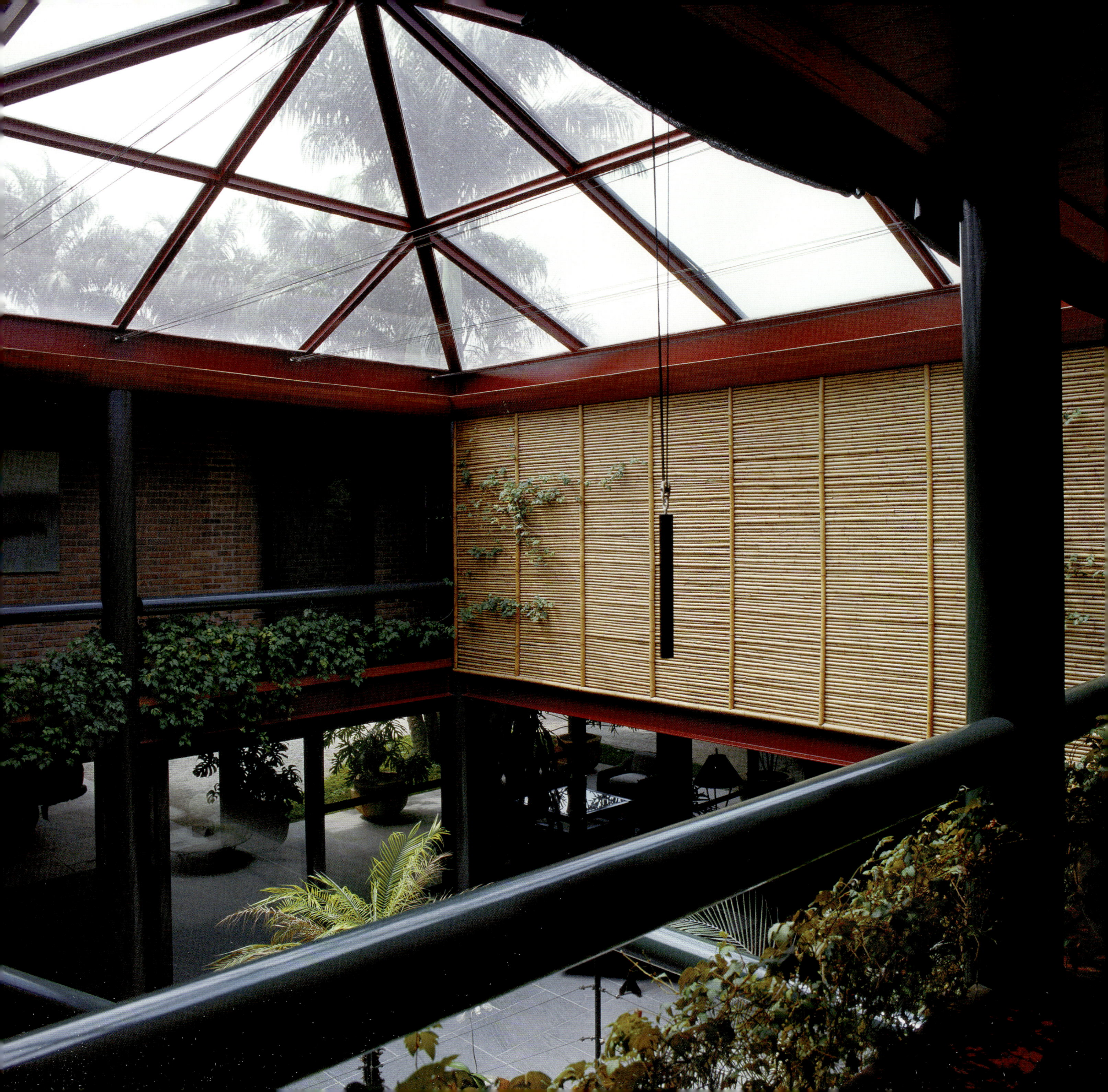

Casa do Jardim Botânico 1990 *Diferente da maioria das habitações que projetamos, esta partiu de um traço bastante forte do cliente, que é sua raiz baiana e, portanto, sensível ao colonial. Procuramos respeitar esta tendência, mas tentando transmitir a idéia de uma obra moderna. Usamos então vigas de aço aparente apoiadas em sólidos pilares de pedra que abrigam grandes e luminosos espaços.*

Rio

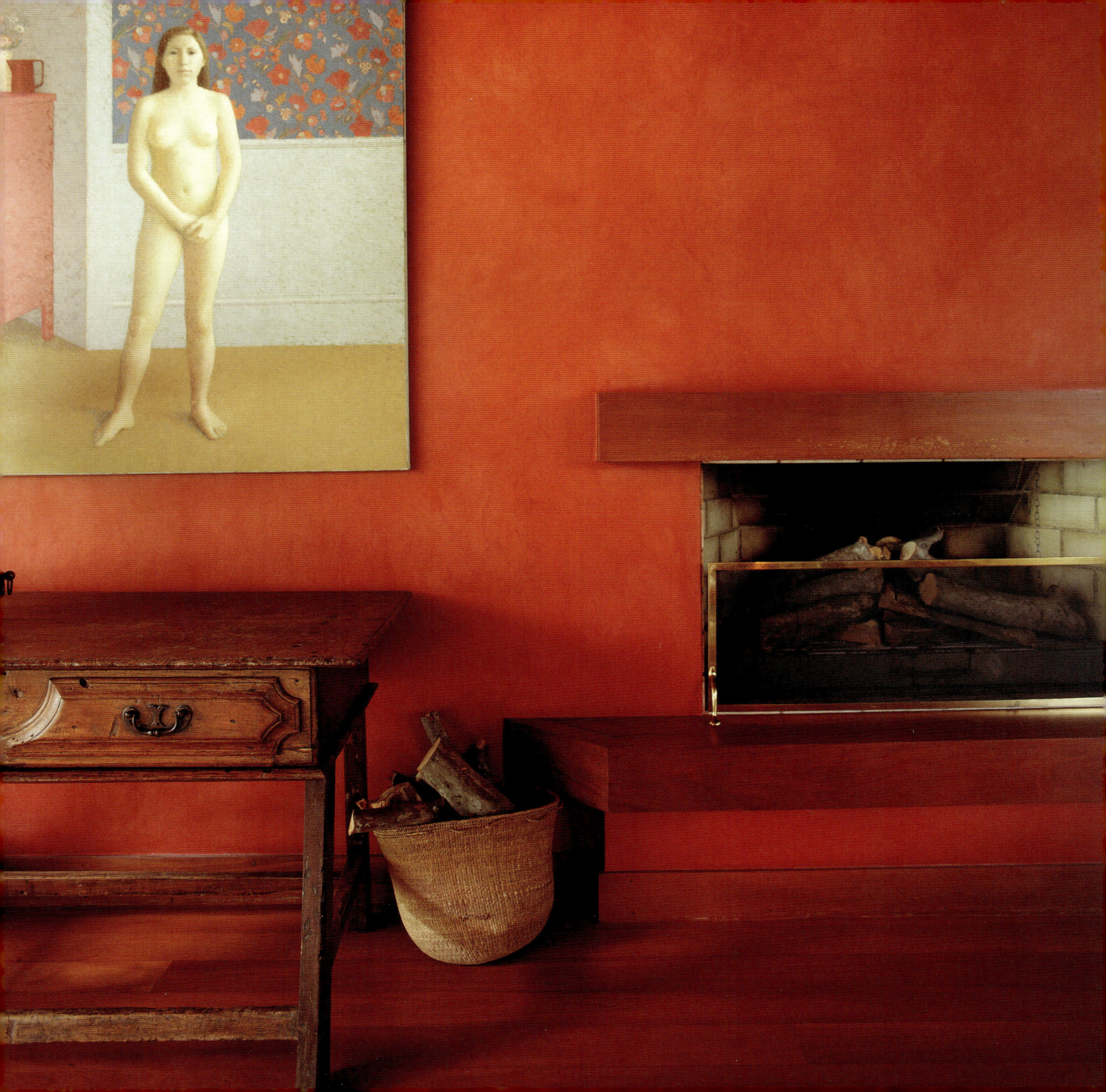

A escada de acesso aos quartos é iluminada por uma cobertura em vidro que é o encontro de todas as águas dos

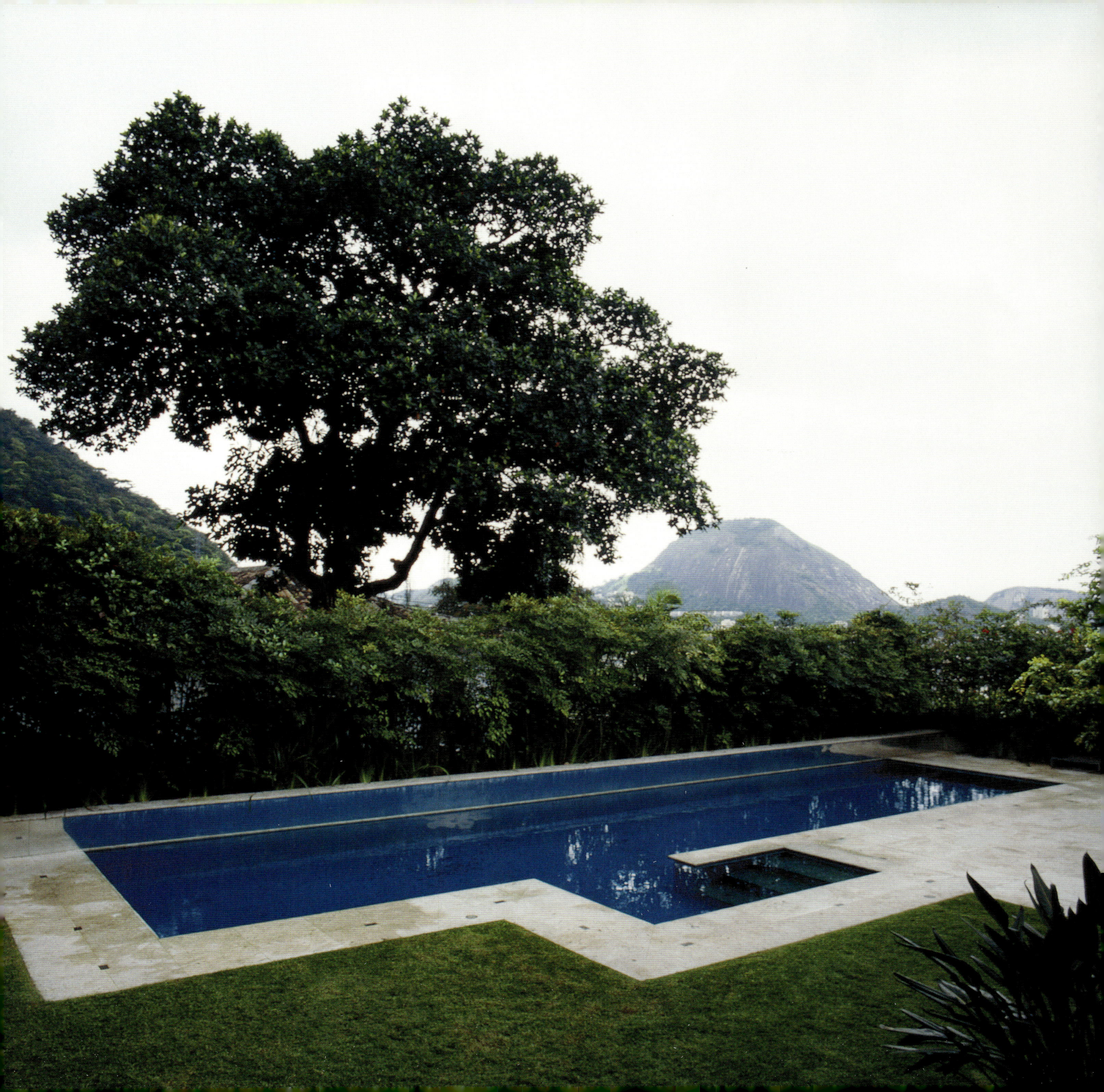

Casa do Leblon 1992 *O desafio deste projeto foi conter um amplo programa de uso da residência em um terreno pequeno, encravado no Jardim Pernambuco, no Rio. A solução encontrada foi elevar o nível social e íntimo, colocando todos os serviços sob uma laje gramada, que se transforma em jardim voltado para a parte superior. Isso proporciona uma diminuição de massa da construção, já que abriga garagem para seis carros, residência de empregados, serviços e depósitos, de aproximadamente 300m² de área construída, mimetizadas ao jardim.*

Rio

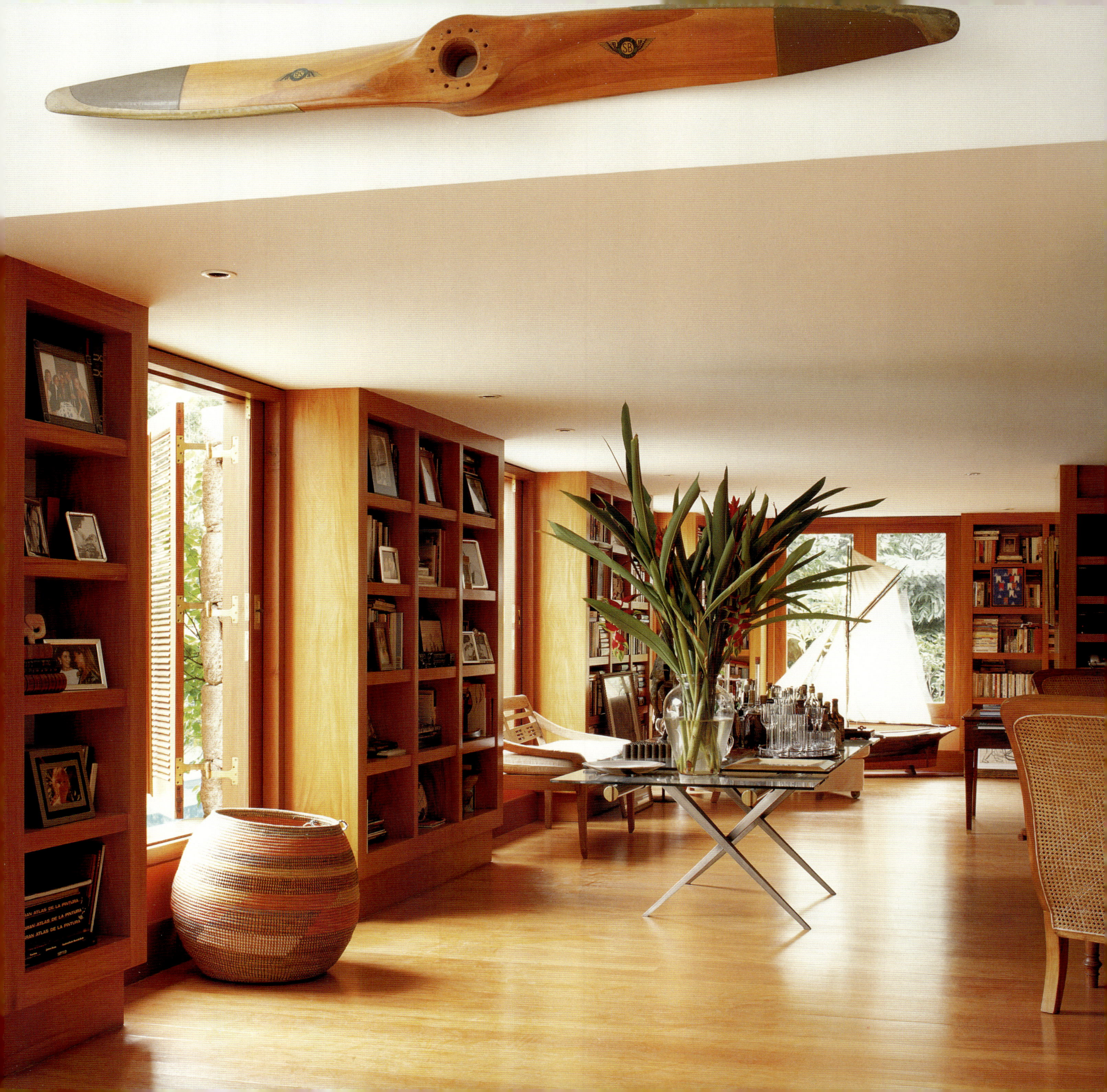

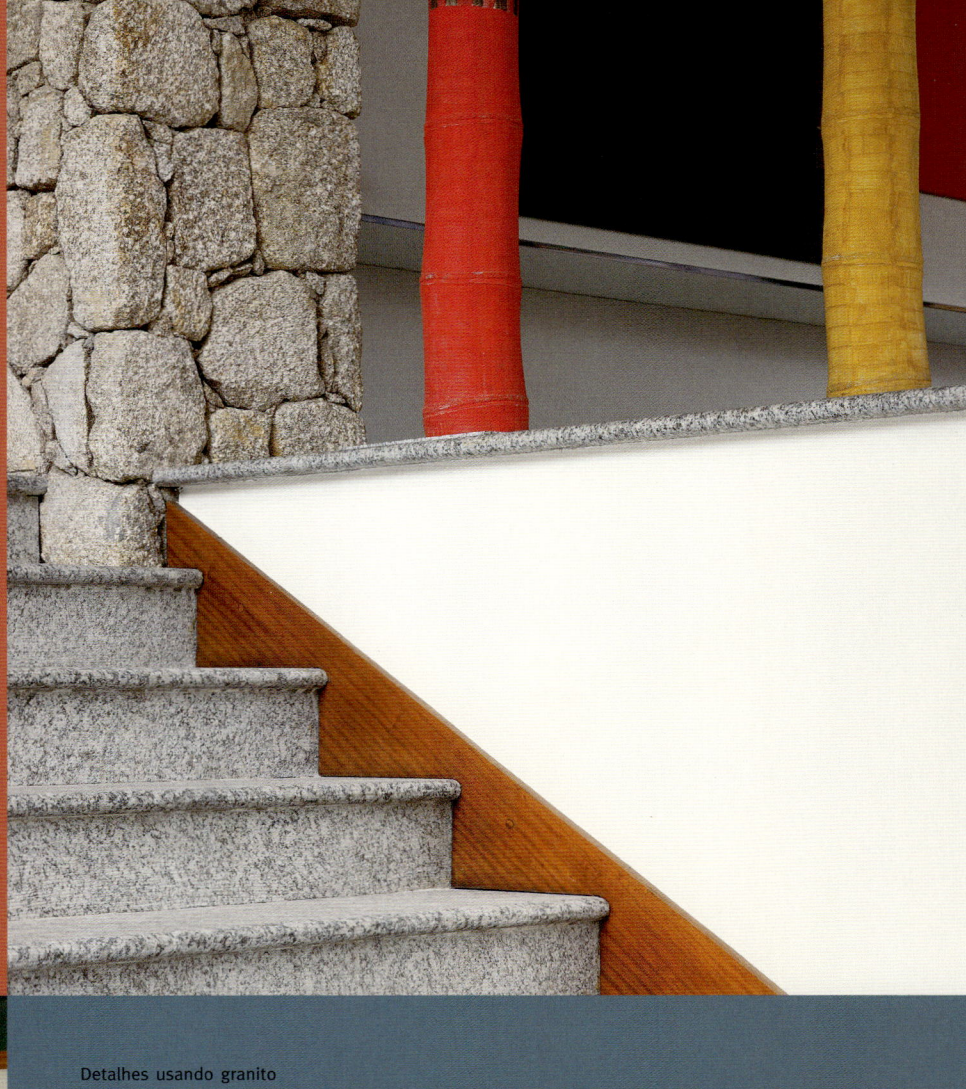

Detalhes usando granito serrado, concreto e madeira se fundem em um interior luminoso e elegante

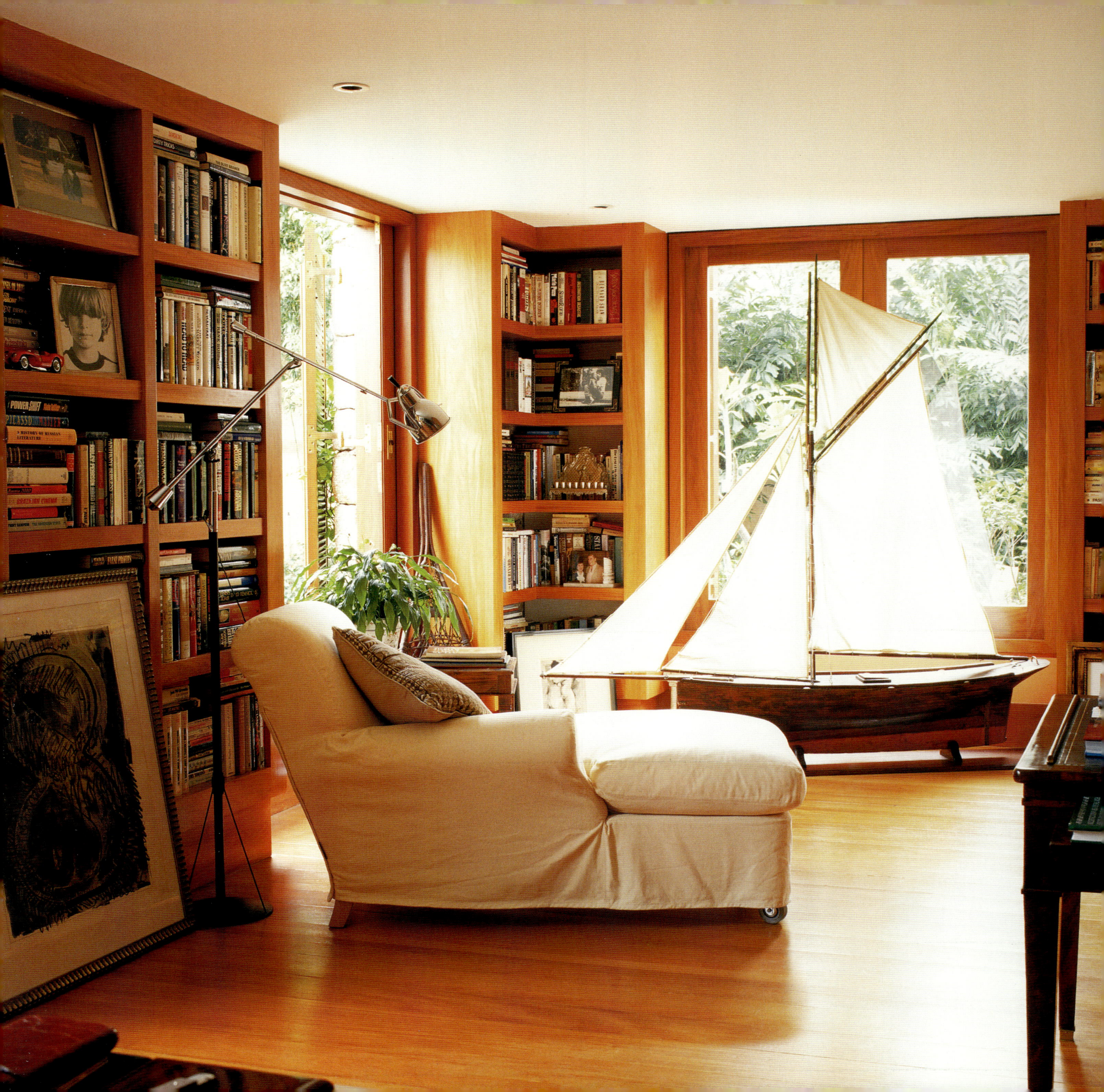

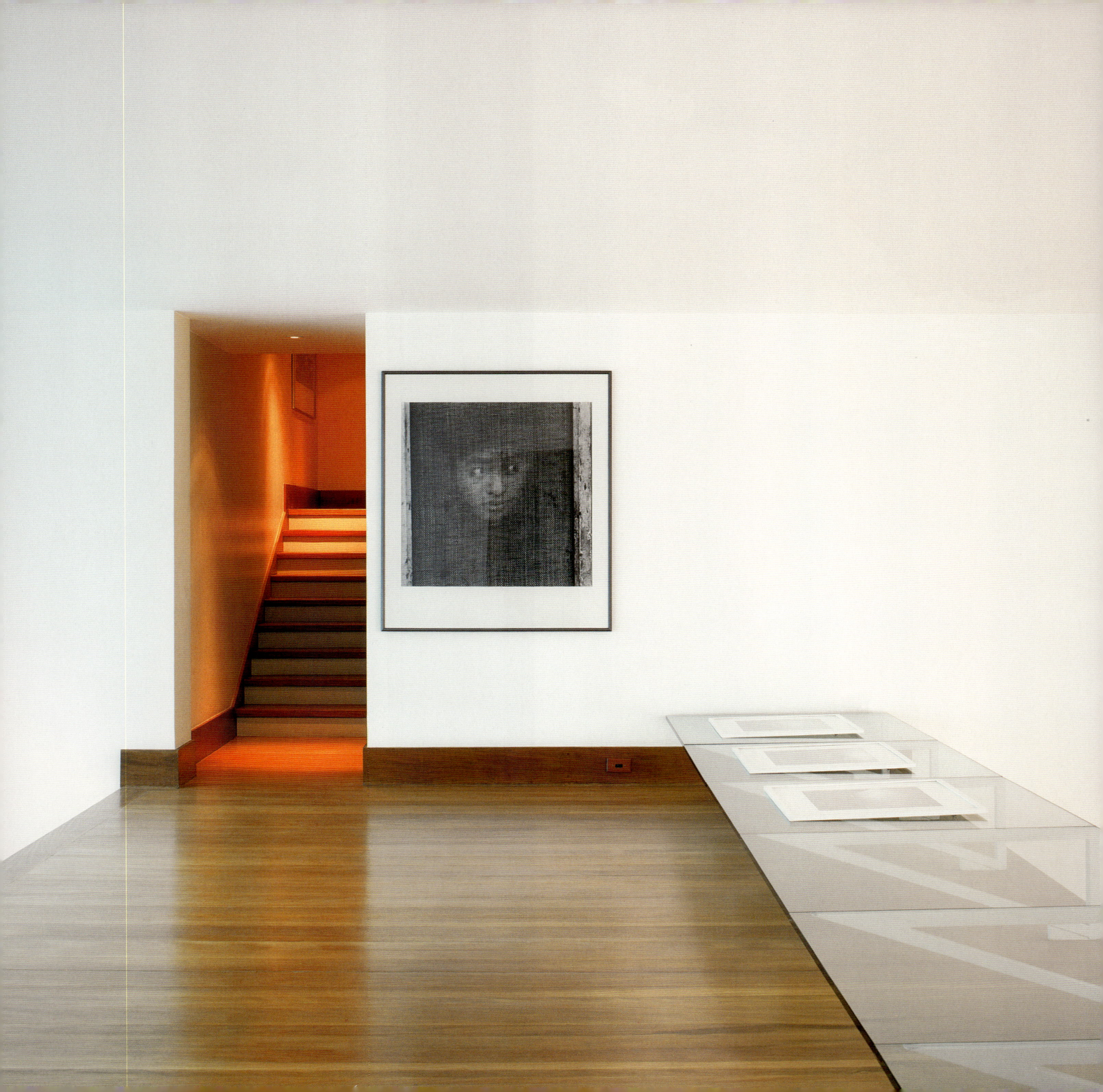

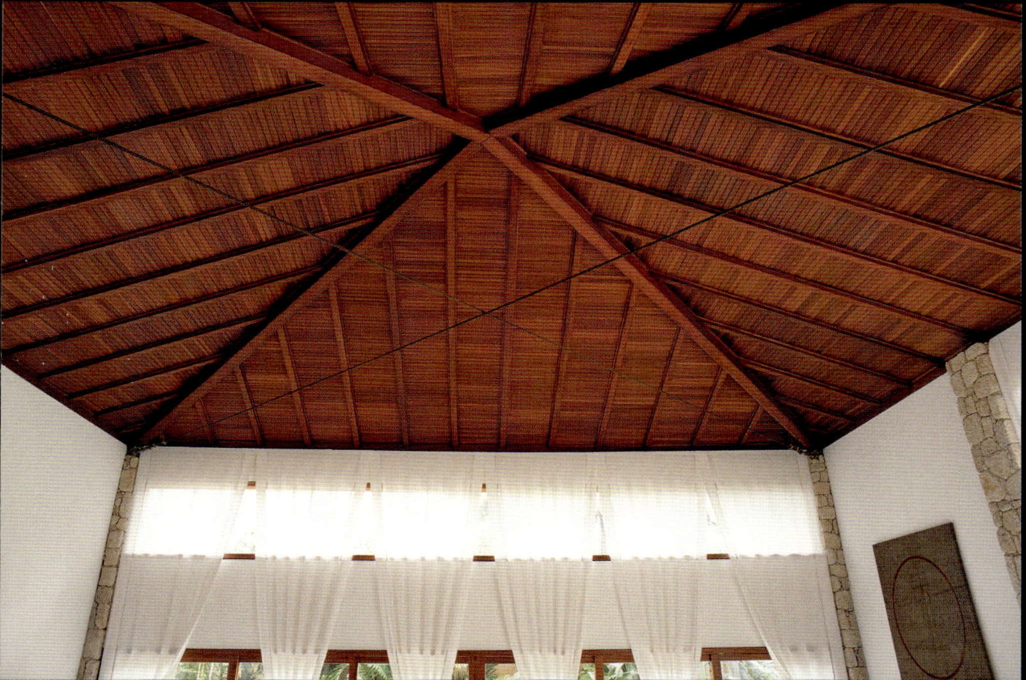

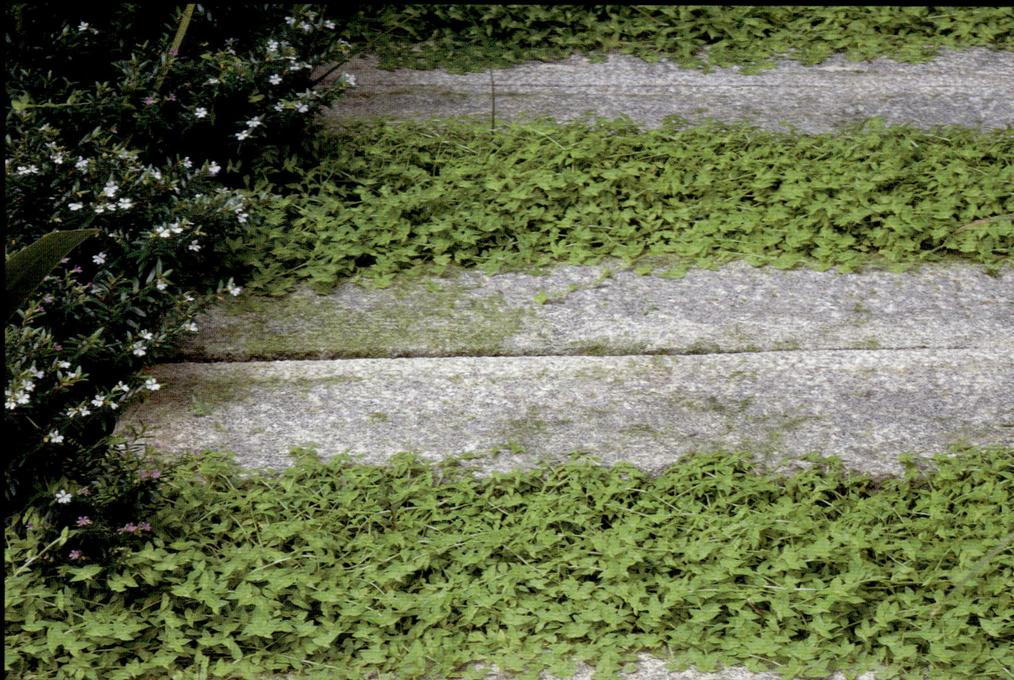

A árvore que nasce no terreno natural se transforma no jardim criado em estrutura de concreto como uma escultura viva

Casa da Gávea 1992
A casa foi inicialmente projetada para um cineasta viver e trabalhar. Com esse programa muito detalhado pelo cliente, criamos uma construção com duas áreas distintas: a residência, em ferro e madeira, com um teto conversível (que abre por meio de um acionamento eletrônico), com o intuito de trazer a vista das ilhas Cagarras e a mata Atlântica para o interior; e outra projetada sob o jardim, coberta por uma laje gramada que continha os escritórios e salas de projeção.

Rio

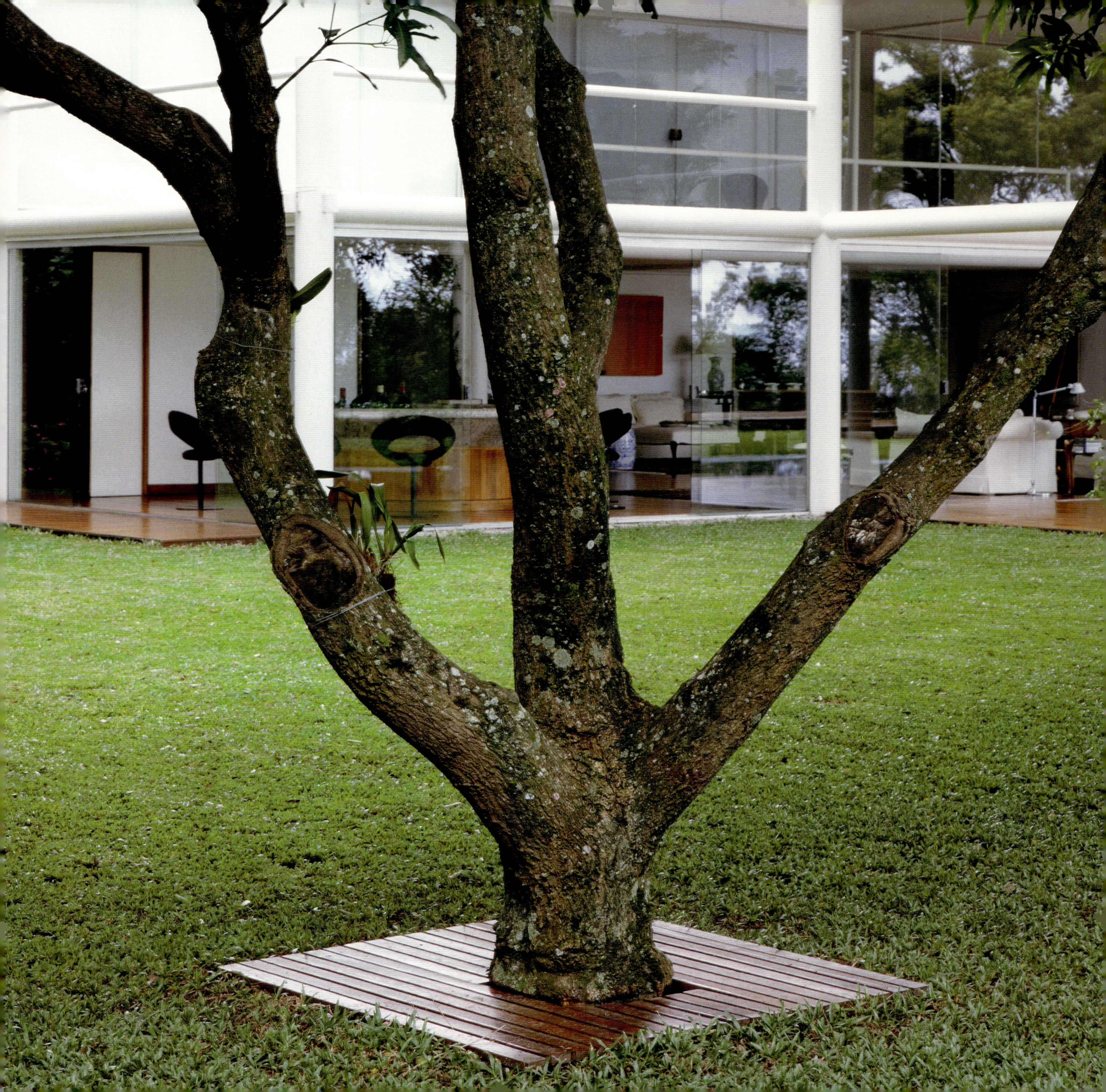

O living com pé direito duplo integra todos os ambientes, caracterizando o espírito informal da habitação

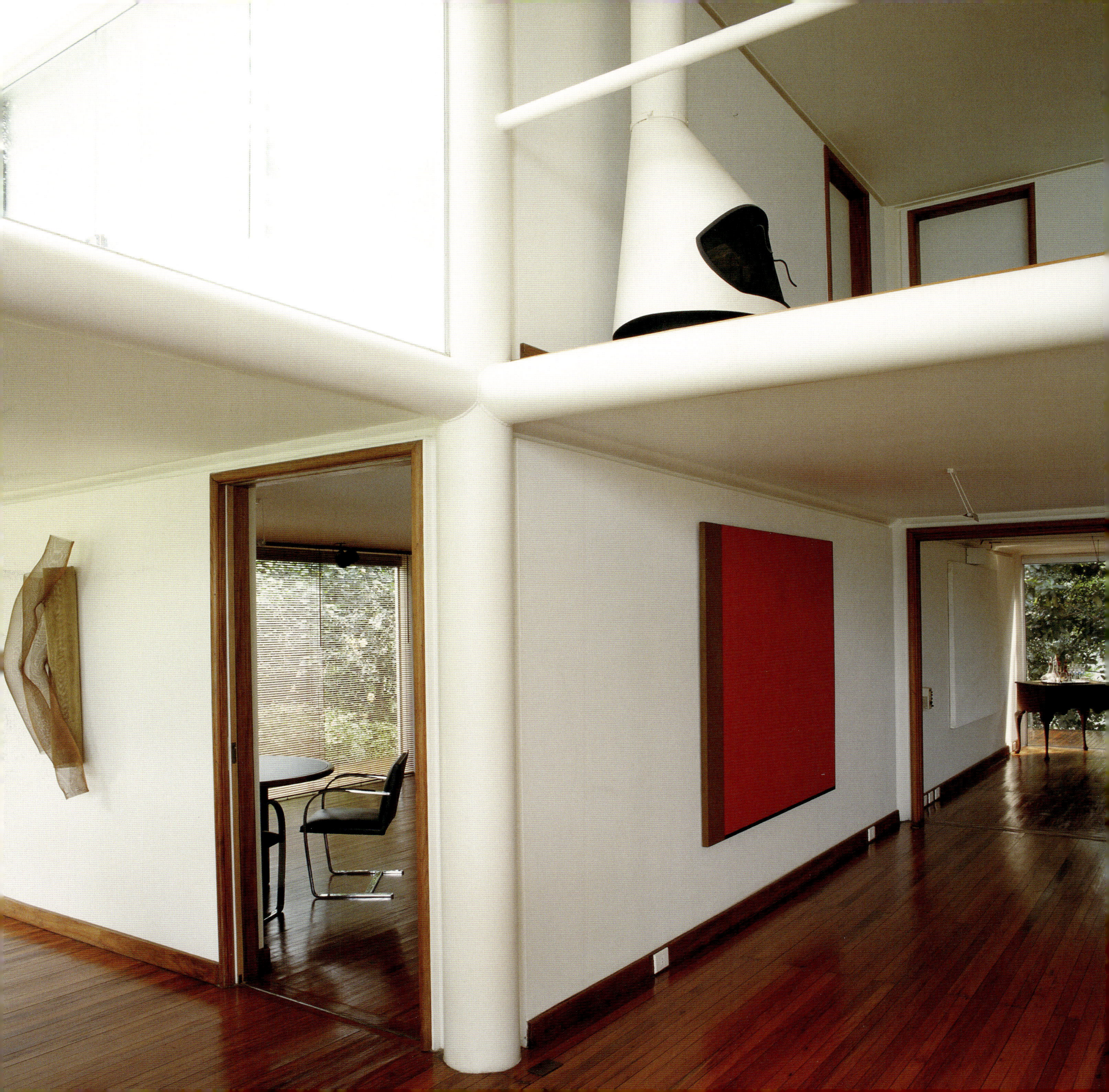

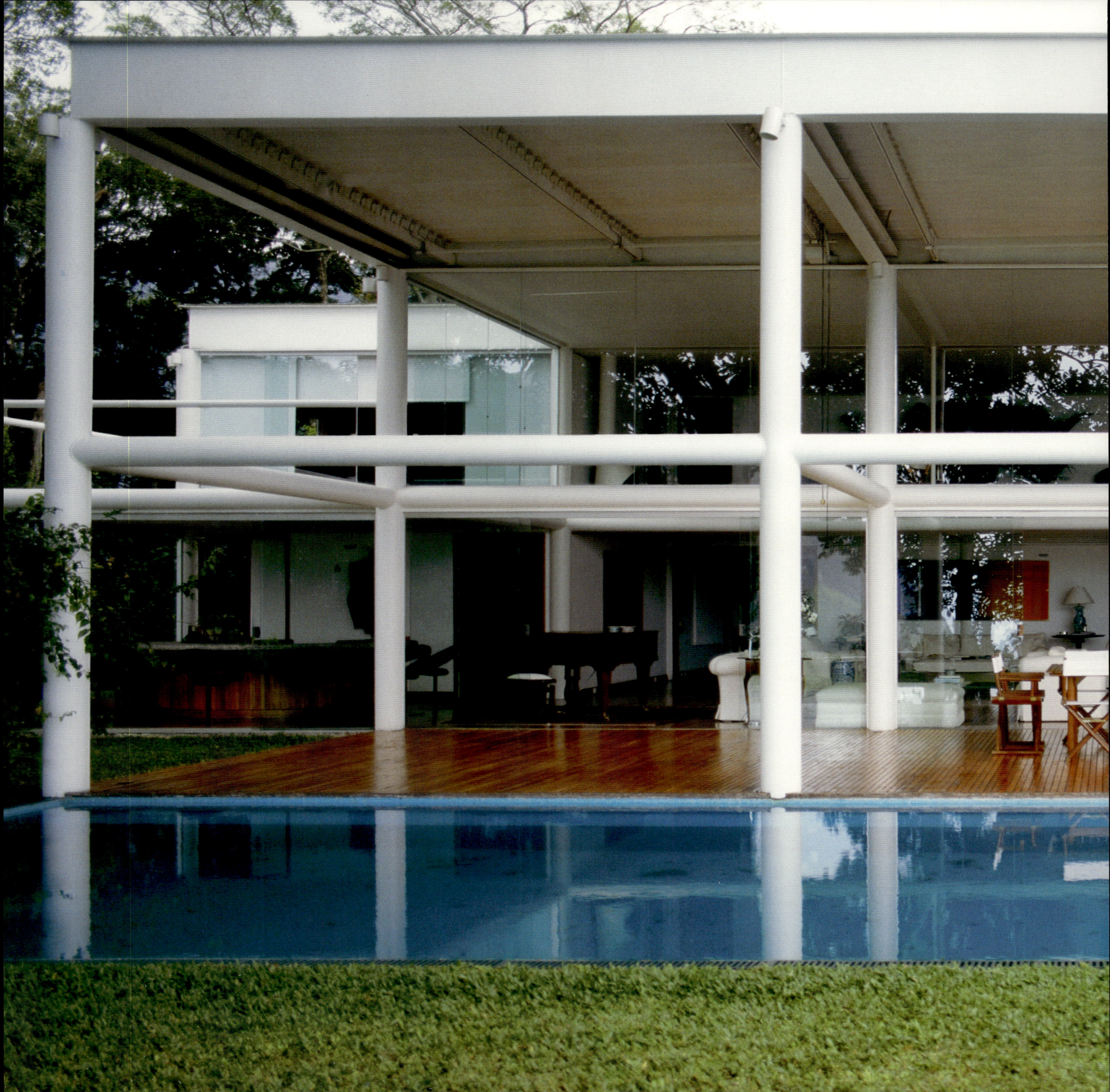

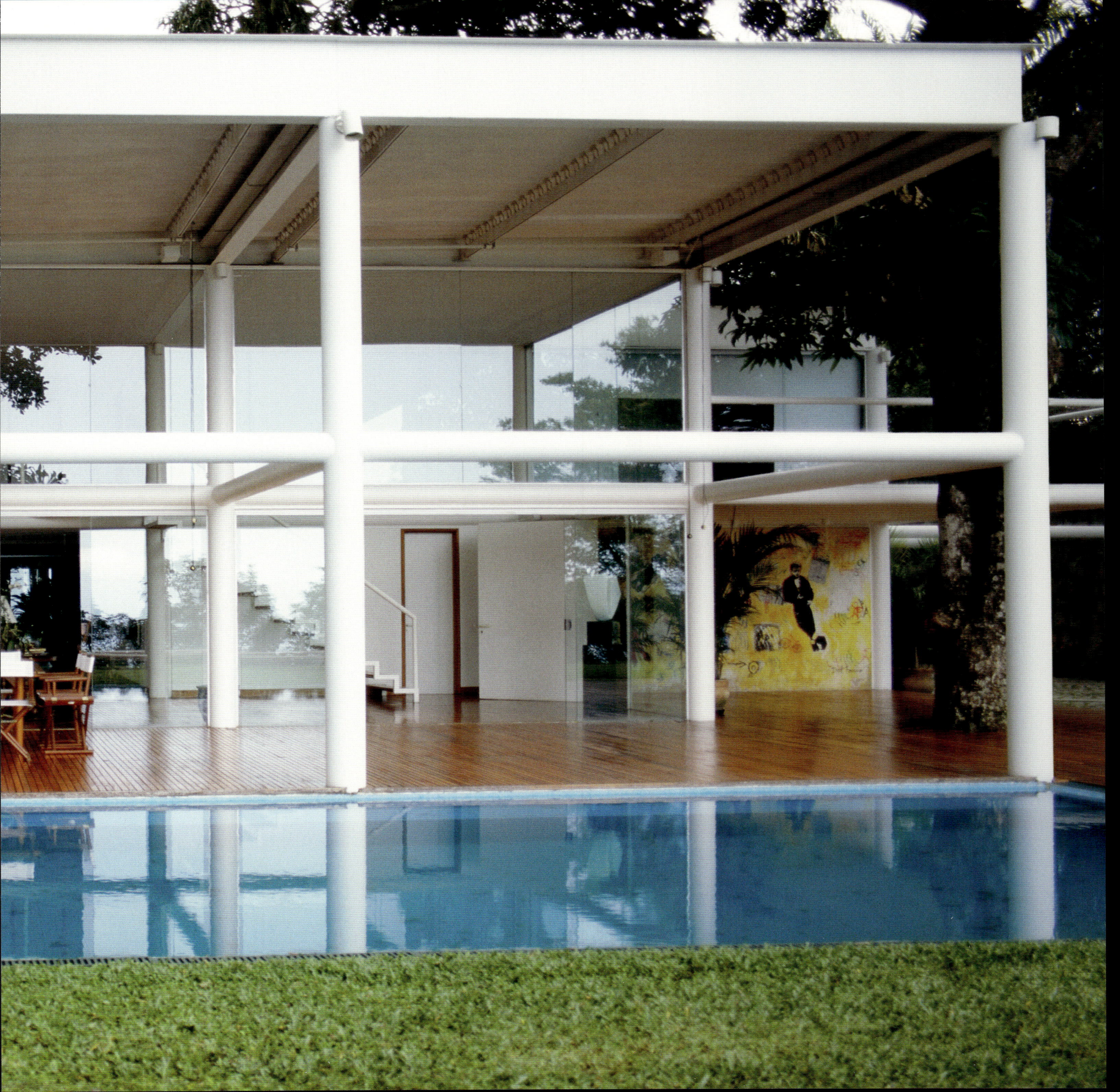

Casa da Memória 1993

Foi uma vivência riquíssima trabalhar neste projeto. O dilema entre fazer uma reforma que restaurasse o projeto original do pai de Claudio, da casa na qual ele morou durante vários anos, ou fazer um projeto inteiramente novo que proporcionasse ao cliente as respostas aos seus anseios, foi imenso. A construção estava em péssimo estado com a maioria dos elementos de valor da arquitetura original deformados por sucessivas reformas. Optamos por restaurar somente o embasamento da casa, contra-fortes em pedra-de-mão que passaram a sustentar toda uma nova construção, em concreto armado com as linhas puras que caracterizam as obras de Sérgio Bernardes. Toda a cobertura desta habitação é um espelho d'água que climatiza a laje de concreto; uma idéia que Sérgio teria.

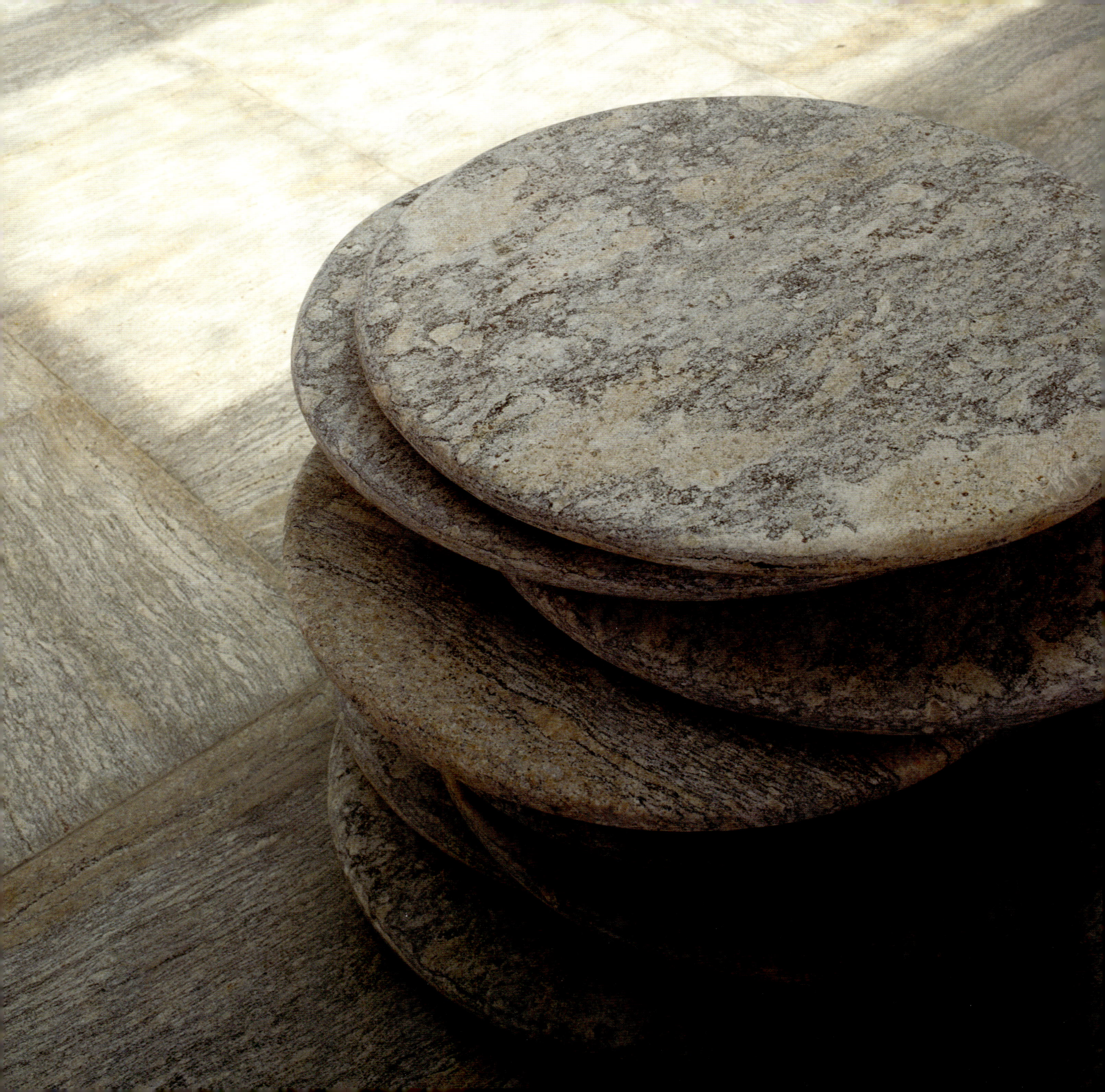

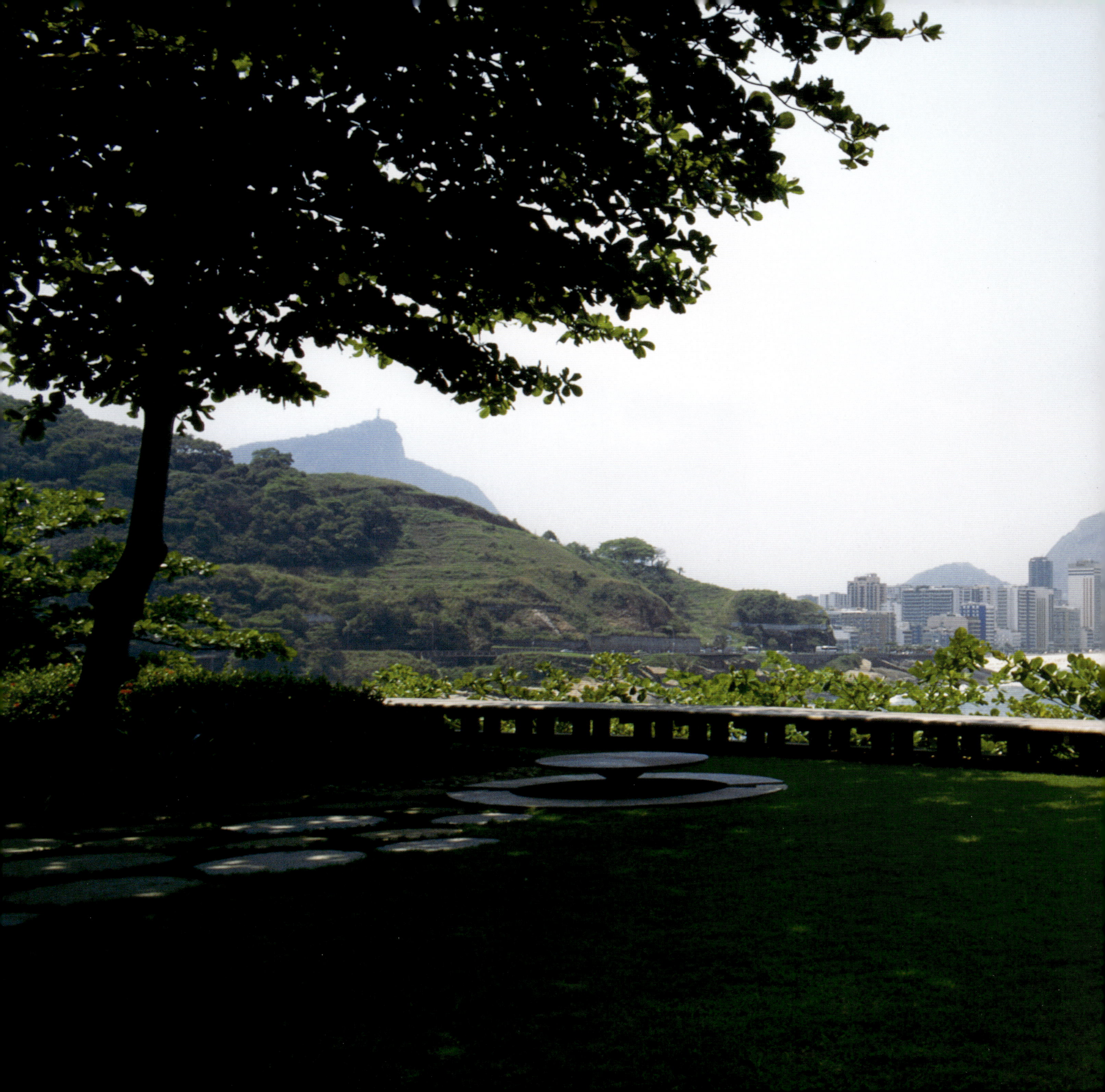

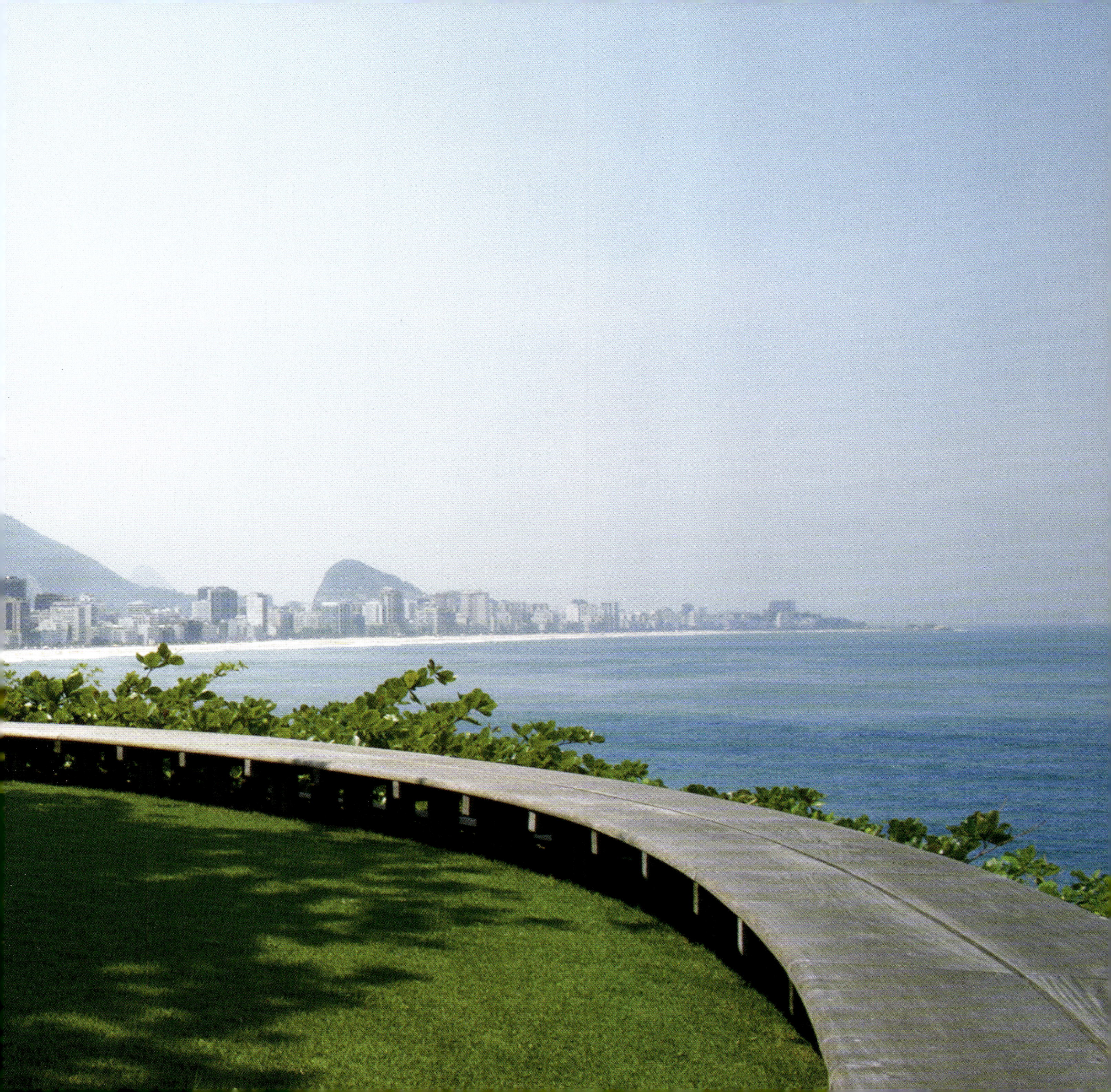

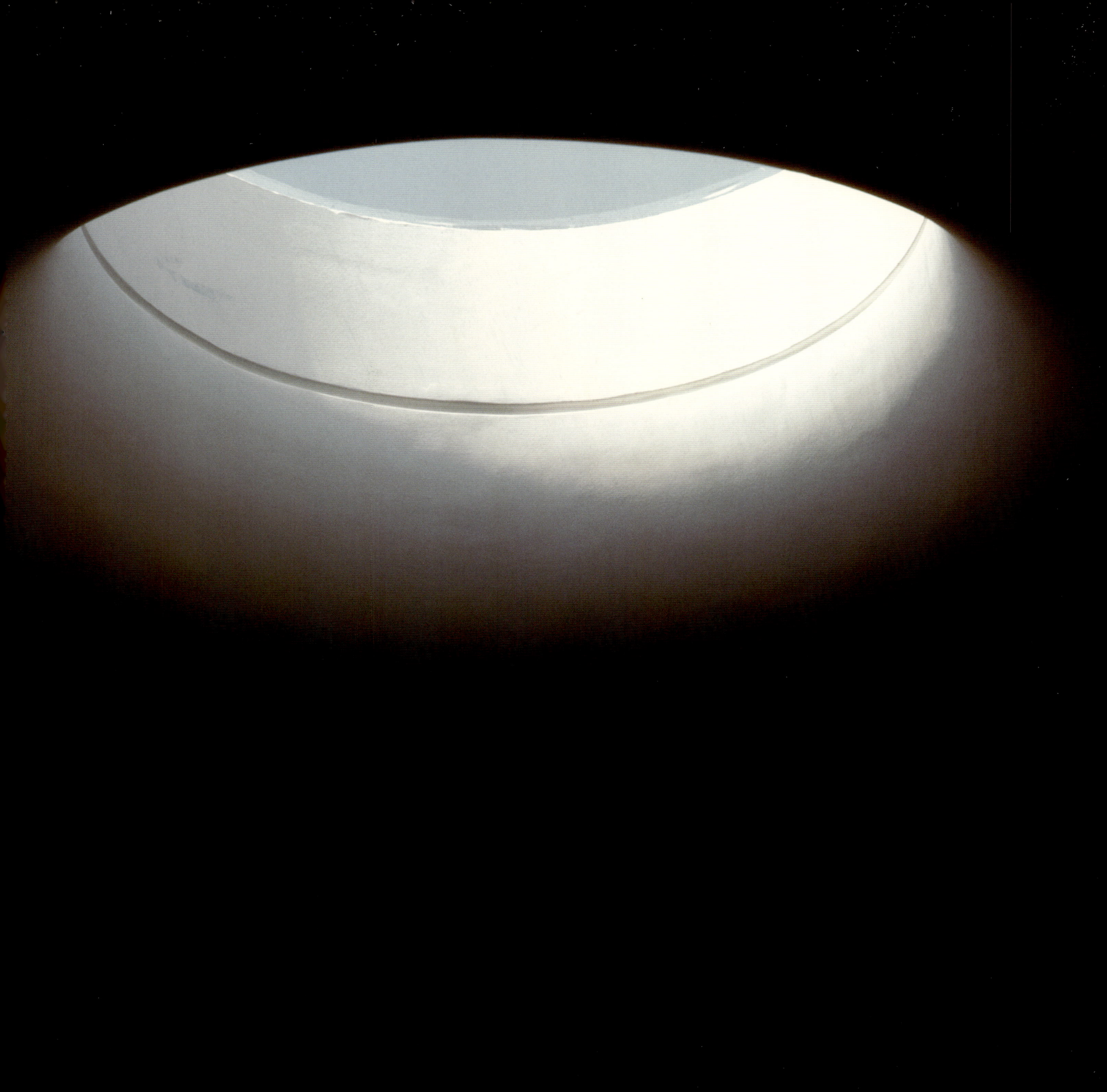

Domus circular focando a entrada da casa filtrando a luz através da água

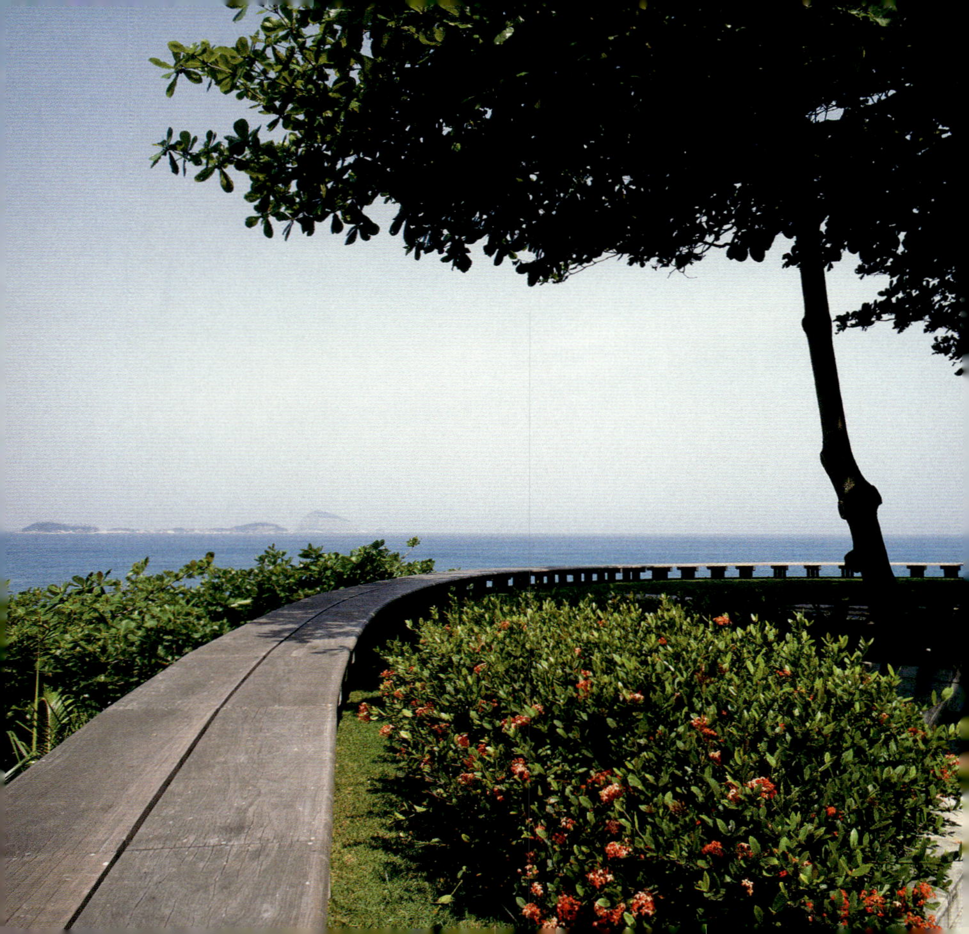

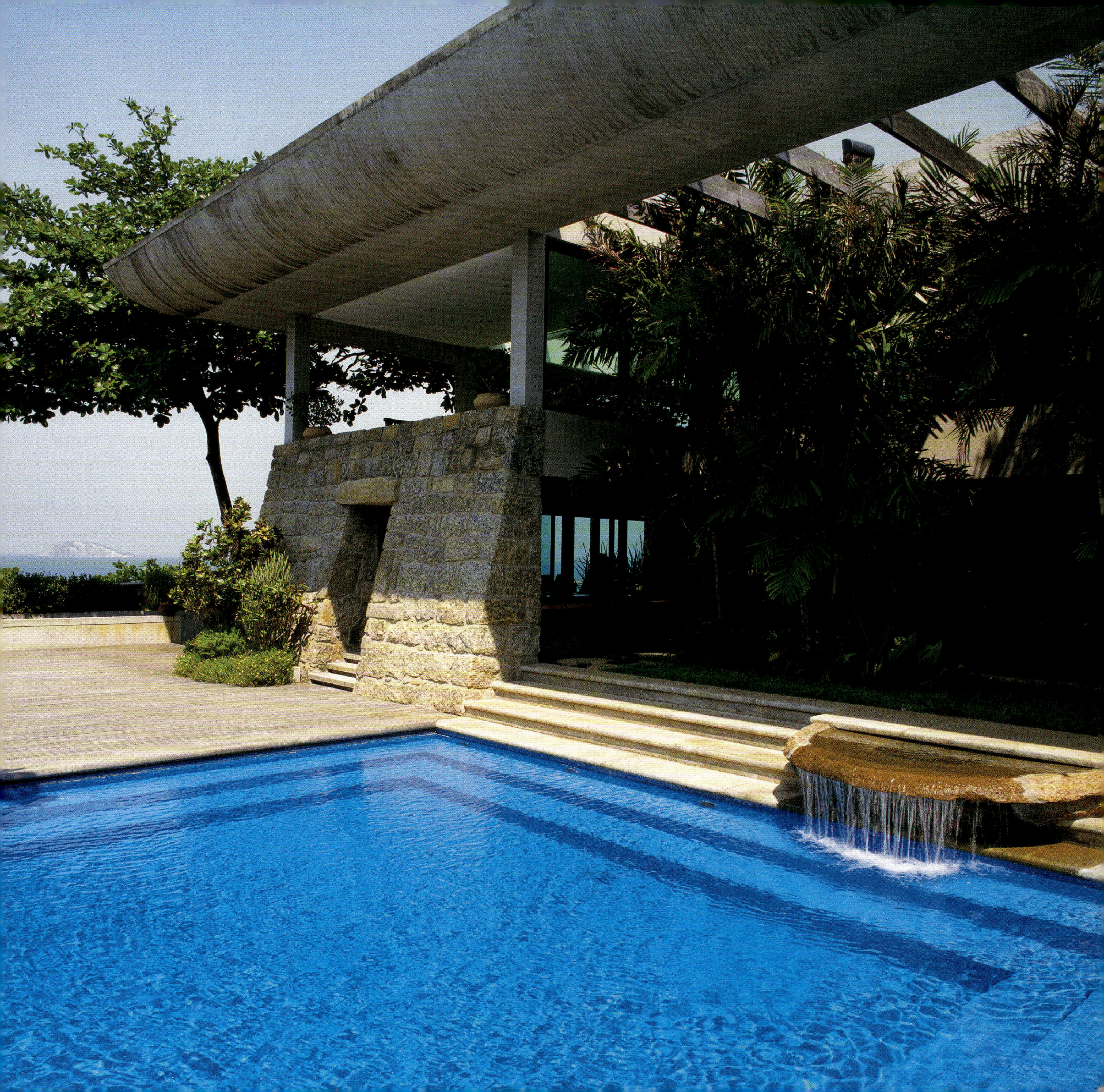

A cobertura é uma laje impermeabilizada com 40 cm. de espelho d'água em que fizemos domus de iluminação que se transformam em aquário

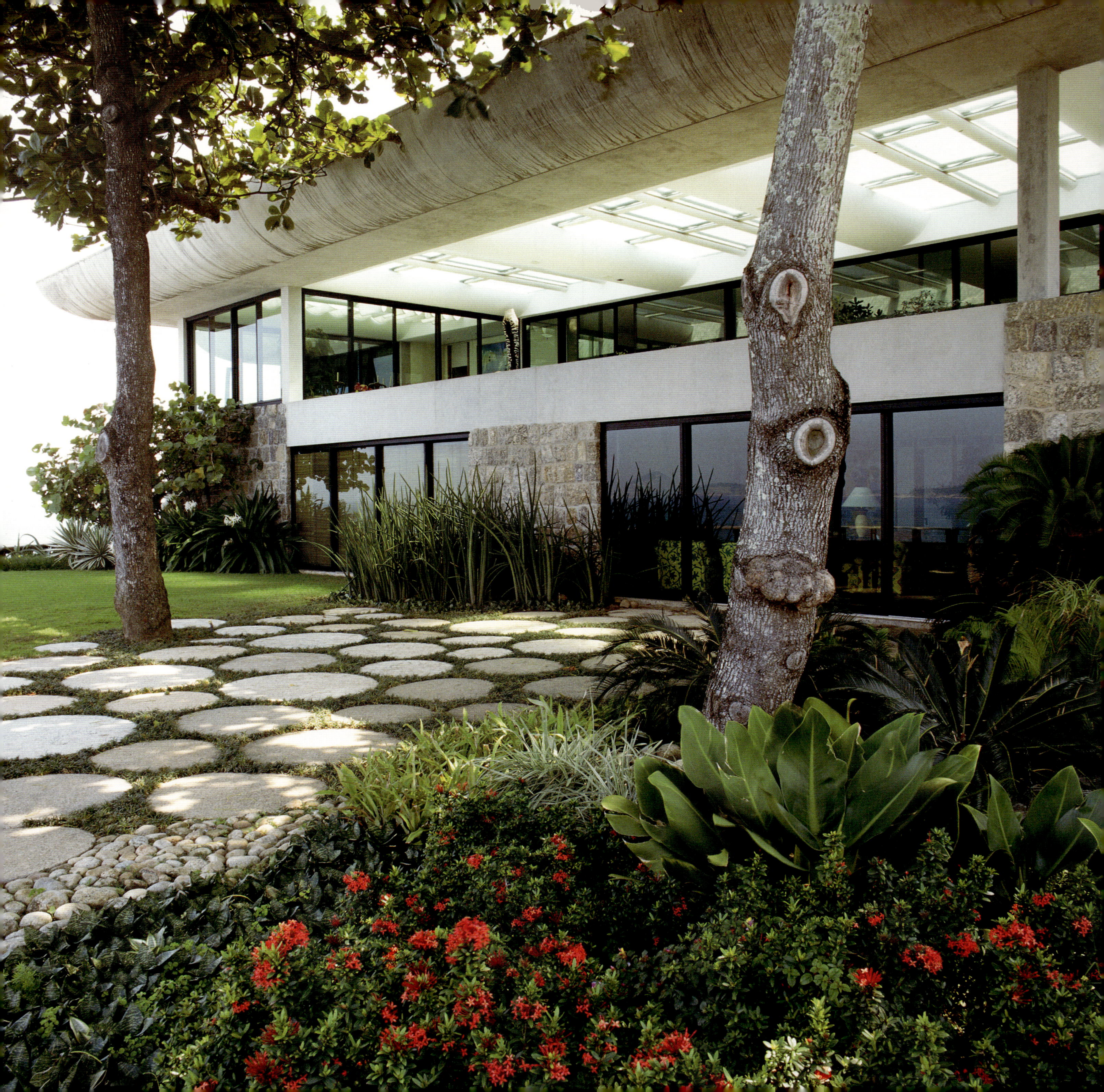

Casa da Cor 1993 *Em frente à praia da Barra da Tijuca, uma cobertura em que o projeto se desenvolveu desde a construção do edifício. Neste caso a liberdade do arquiteto em definir a planta baixa, aliando arquitetura e elementos da decoração, proporciona soluções melhores, fugindo dos conceitos comuns do mercado imobiliário. Procuramos colocar nas paredes a cor do poente da praia de Sernambetiba: um laranja, às vezes coral, às vezes amarelo, suavizado pelo tom areia do piso em cerâmica Brennand. Os móveis também entram nesta sintonia: transparentes em madeira lustrada e tecidos crus. Esse encadeamento de idéias, da construção à decoração, completando um ciclo, proporciona um projeto em que o mobiliário obedece a uma função.*

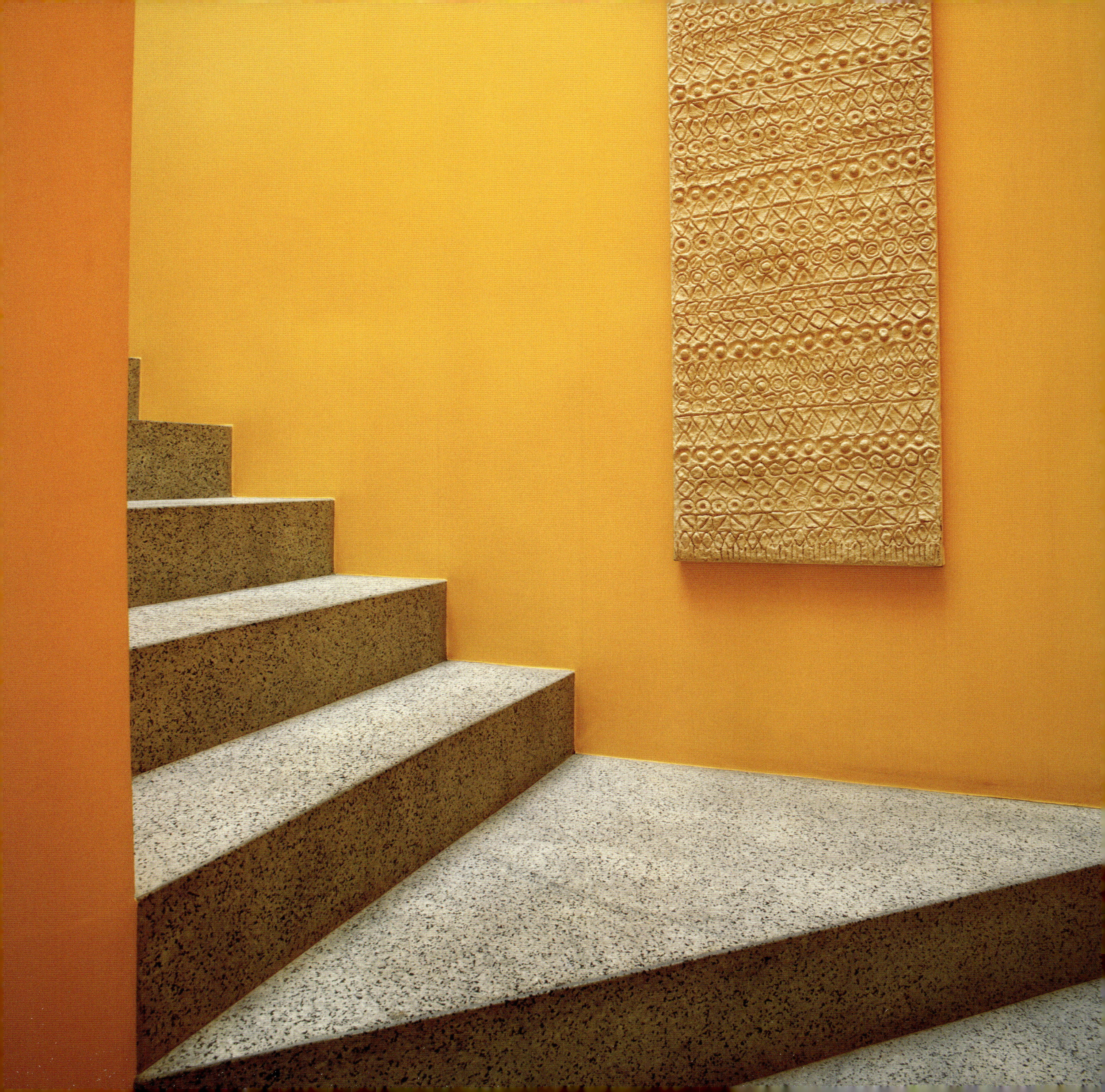

O espelho oculta a parede que divide as construções dando a ilusão de continuidade. A circulação funciona como jardim interno que acessa ao quarto do casal

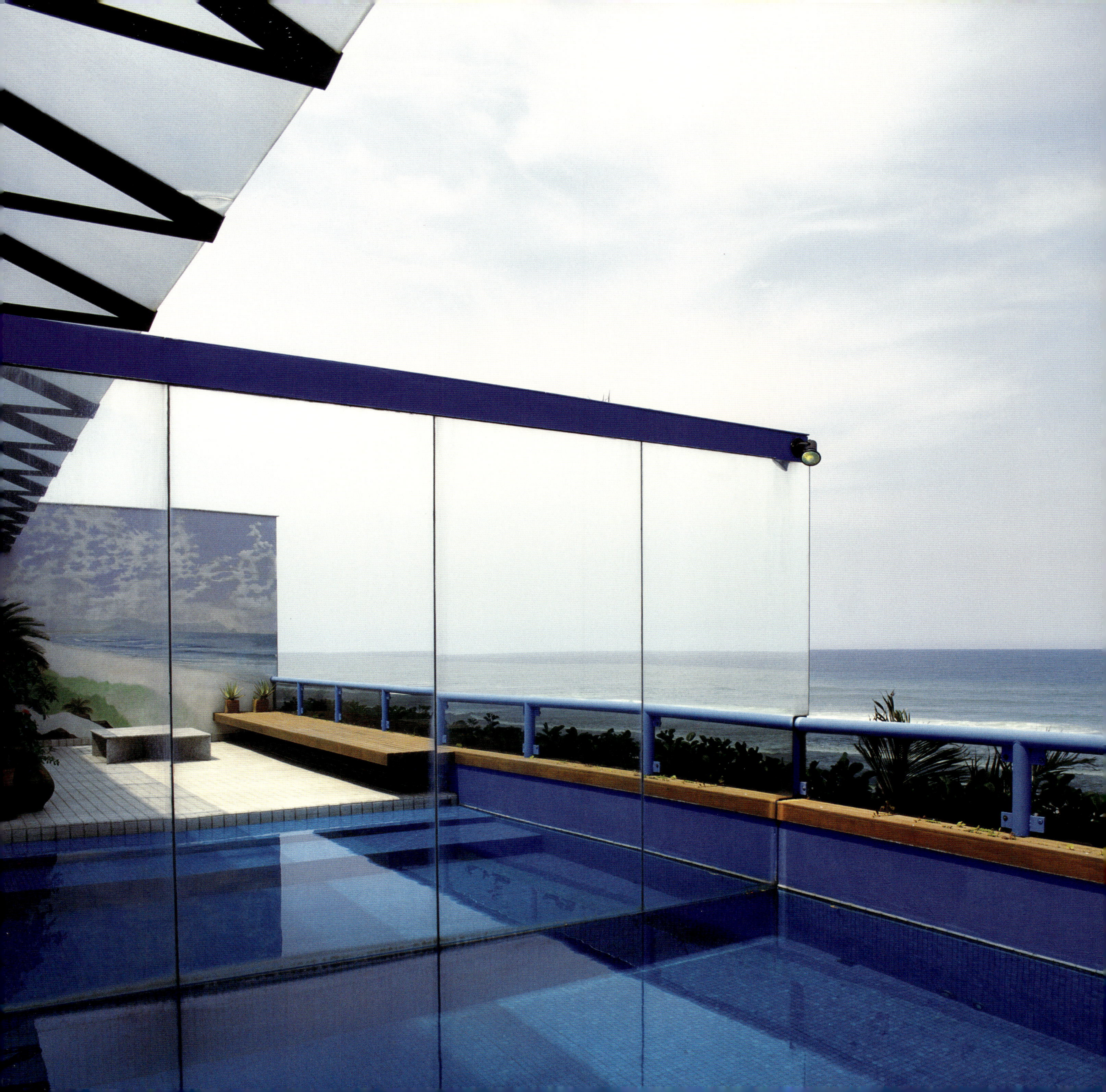

House Garden 1994

Tentamos fazer uma arquitetura que abrigasse móveis de "high" design, a última tendência do desenho internacional, basicamente do europeu. A arquitetura limpa, luminosa e transparente, praticamente invisível, com o uso de madeira clara e ferro pintado foi a oportunidade de exercitarmos um sonho que seria o de projetar um museu contemporâneo sem a frieza que encontramos nestas construções. O uso de água escorrendo nas fachadas; os jardins internos iluminados por clarabóias com formato de árvores e transparências, proporcionando uma troca entre o interno e o externo, dão um ar "doméstico" à exposição dos produtos.

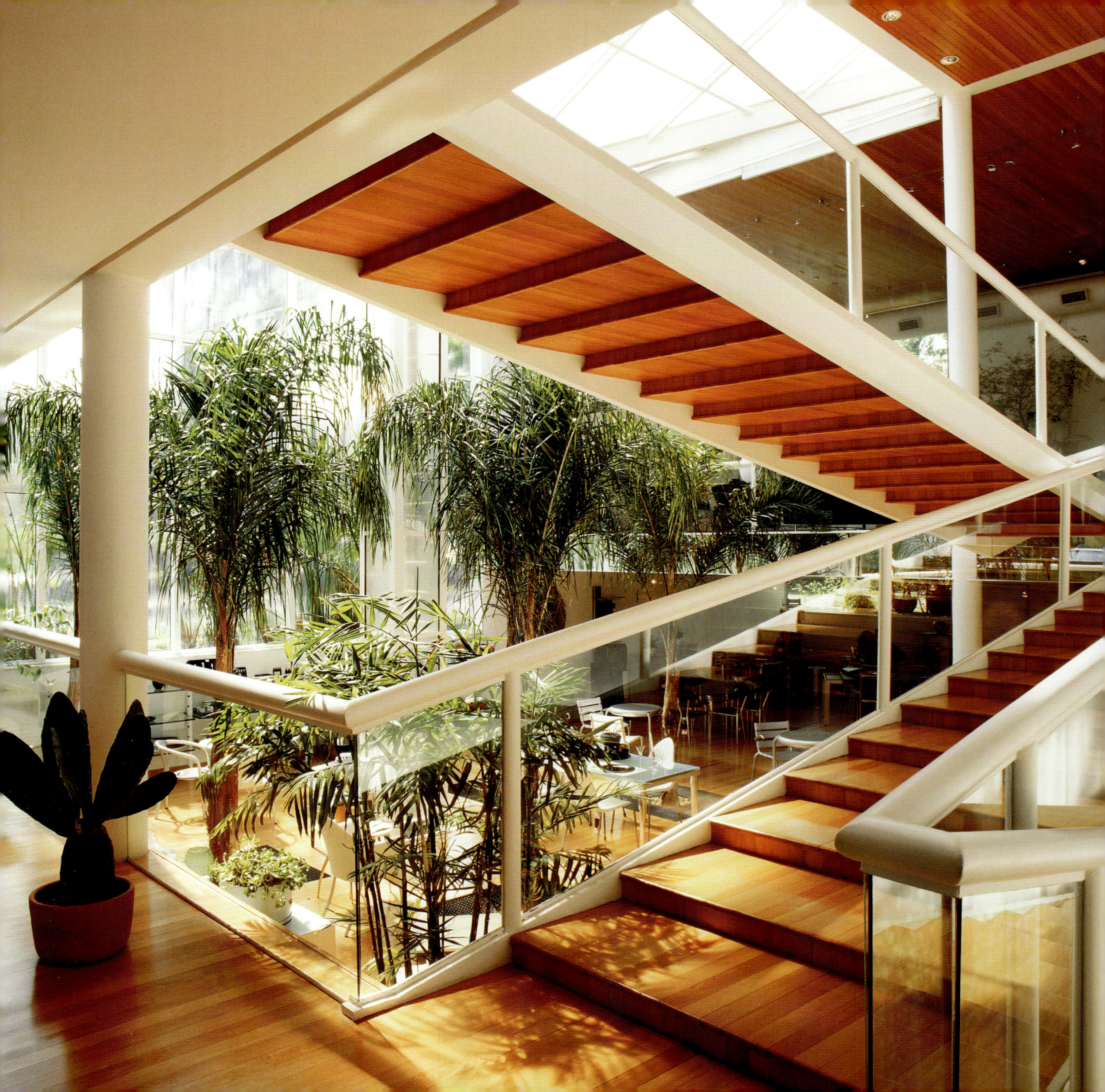

A porta de entrada em aço inox trançado é a síntese da conciliação em nossos trabalhos de etnia e de contemporaneidade

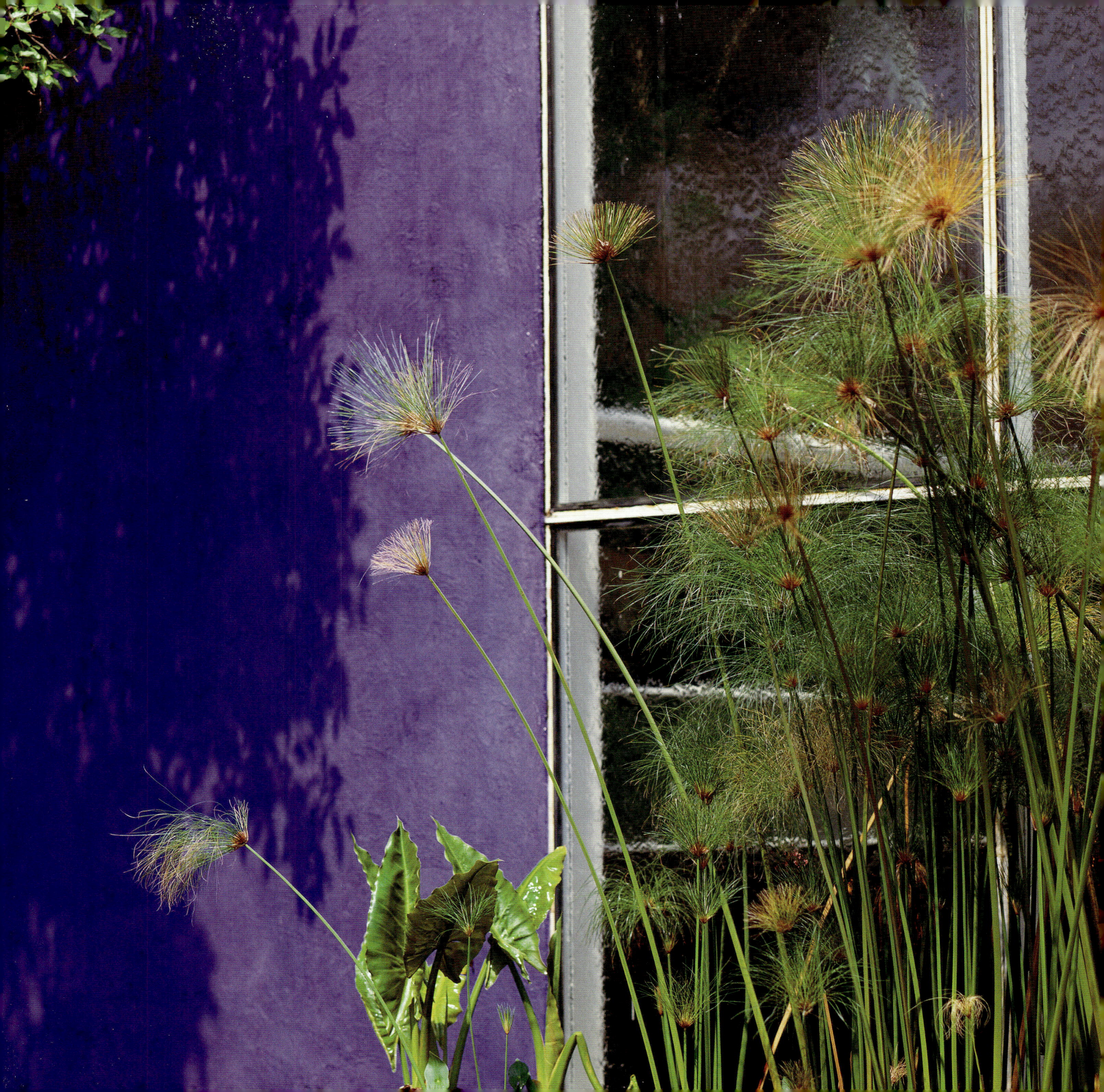

Fachada lateral com papiros plantados no lago. A natureza se contrapõe aparentemente à grande árvore em aço que funciona como clarabóia

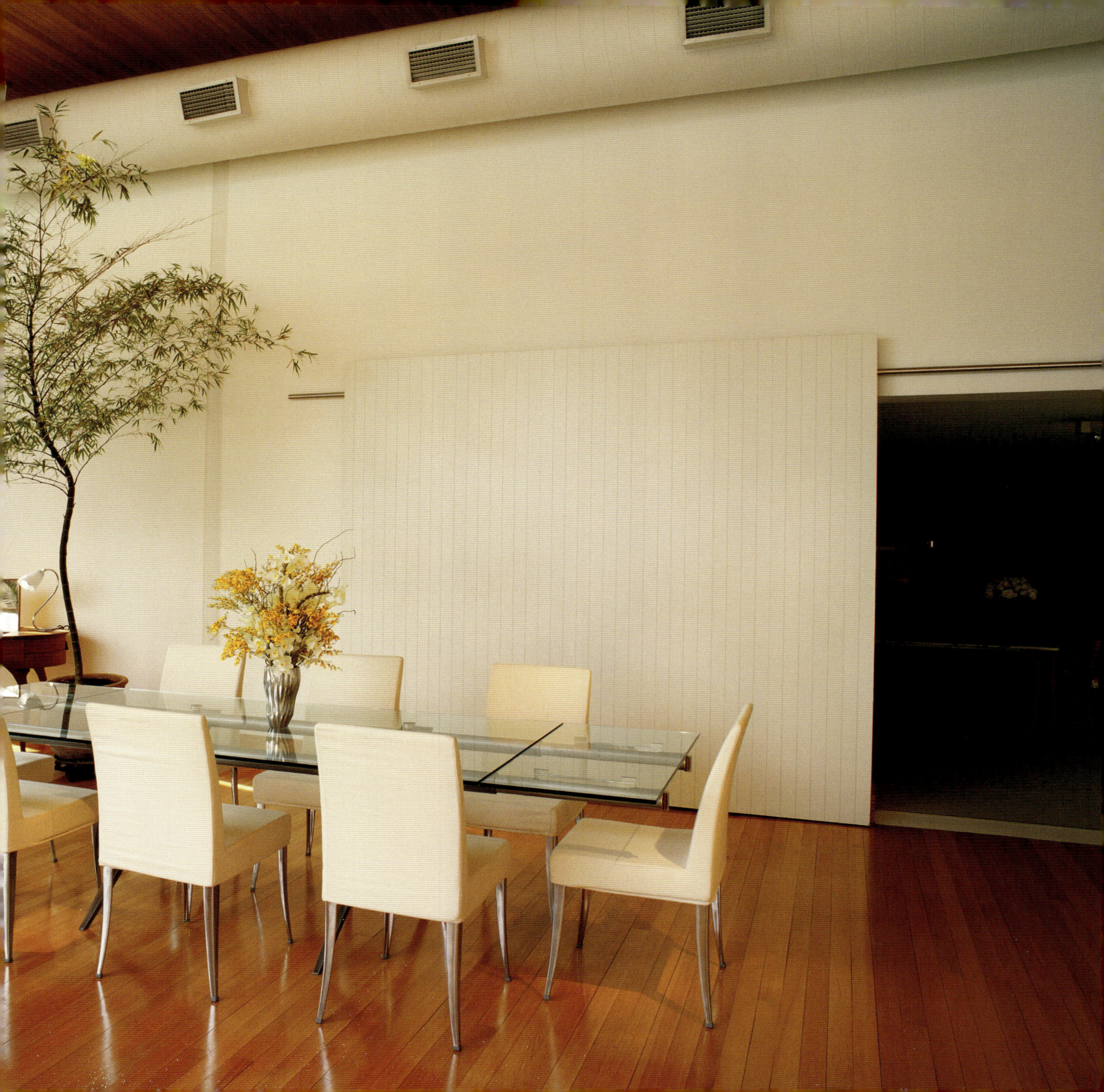

Casa da Varanda 1996
Neste projeto o caminho é o oposto, com o uso de madeira de acabamento rigoroso e um desenho simples, quase uma releitura do colonial brasileiro, que causa surpresa às pessoas num primeiro olhar. Essa simplicidade quase japonesa dá à obra um caráter mais permanente.

São Paulo

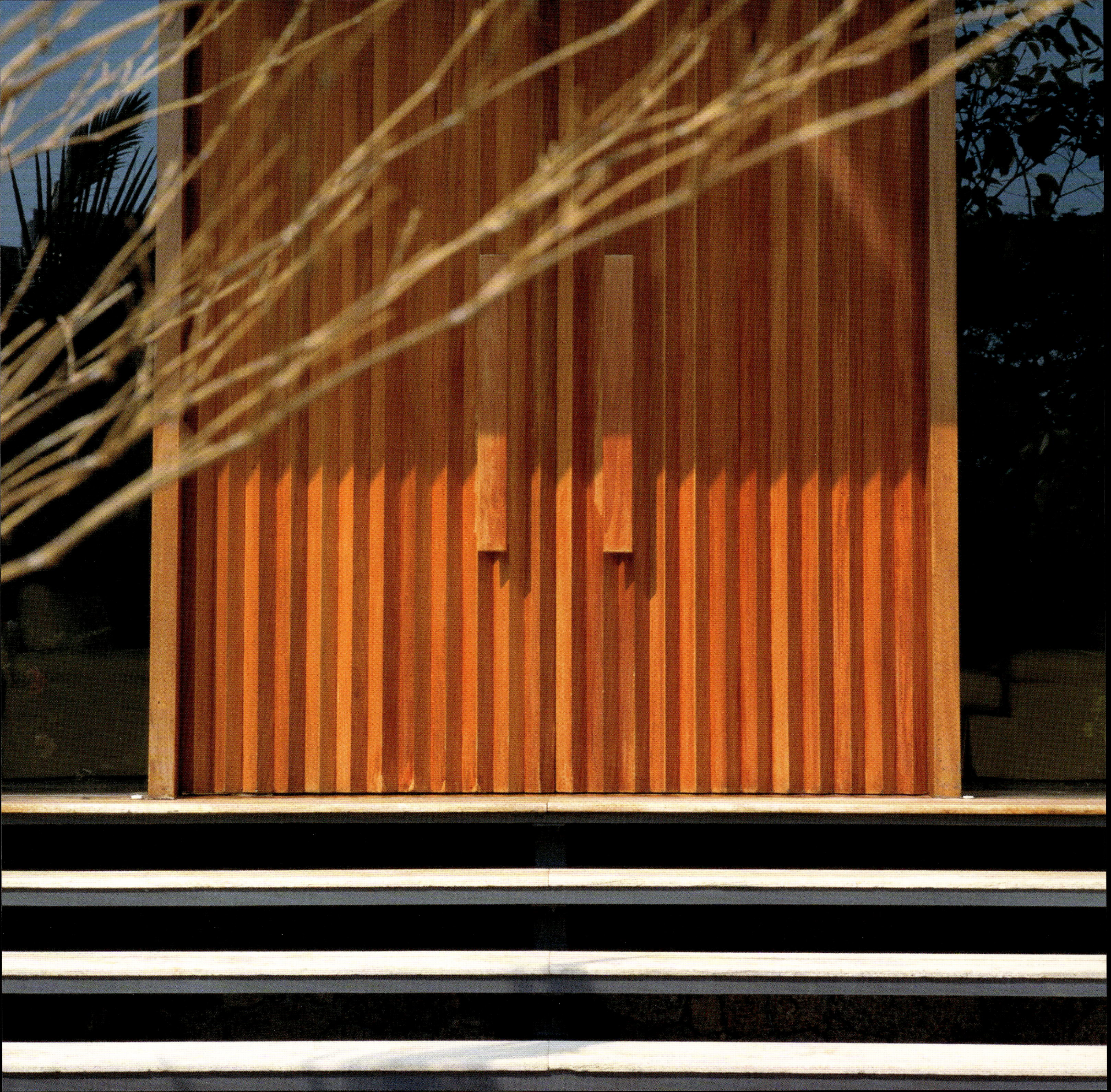

O desenho da arquitetura prevê efeitos diversos com a mudança da luz, proporcionados pela liberdade no uso da madeira

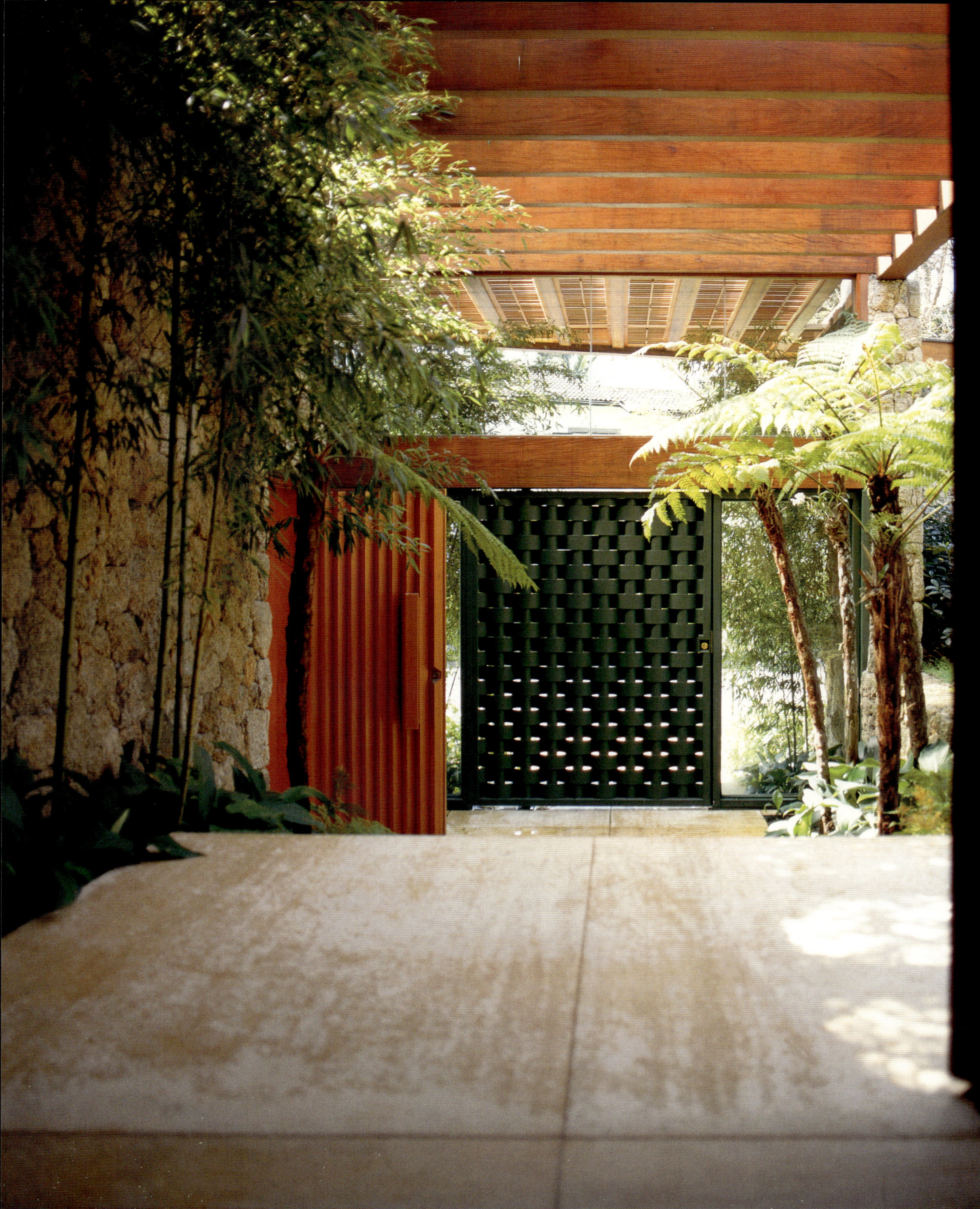

O colonial como estilo é transformado na arquitetura e no desenho do interior se expressando de forma contemporânea.

Um piso de inspiração francesa, tetos com o traço do colonial brasileiro e uma fachada um pouco oriental, é uma leitura que fazemos depois da obra pronta. A leitura anterior é voltar os olhos para o cliente, sua personalidade e estilo procurando dentro dele a sua melhor forma de expressão

O metal e o branco "clean" não são essenciais a uma concepção moderna e urbana. A madeira, a pedra e a cor podem ser manipulados desde que eleitos pelo cliente

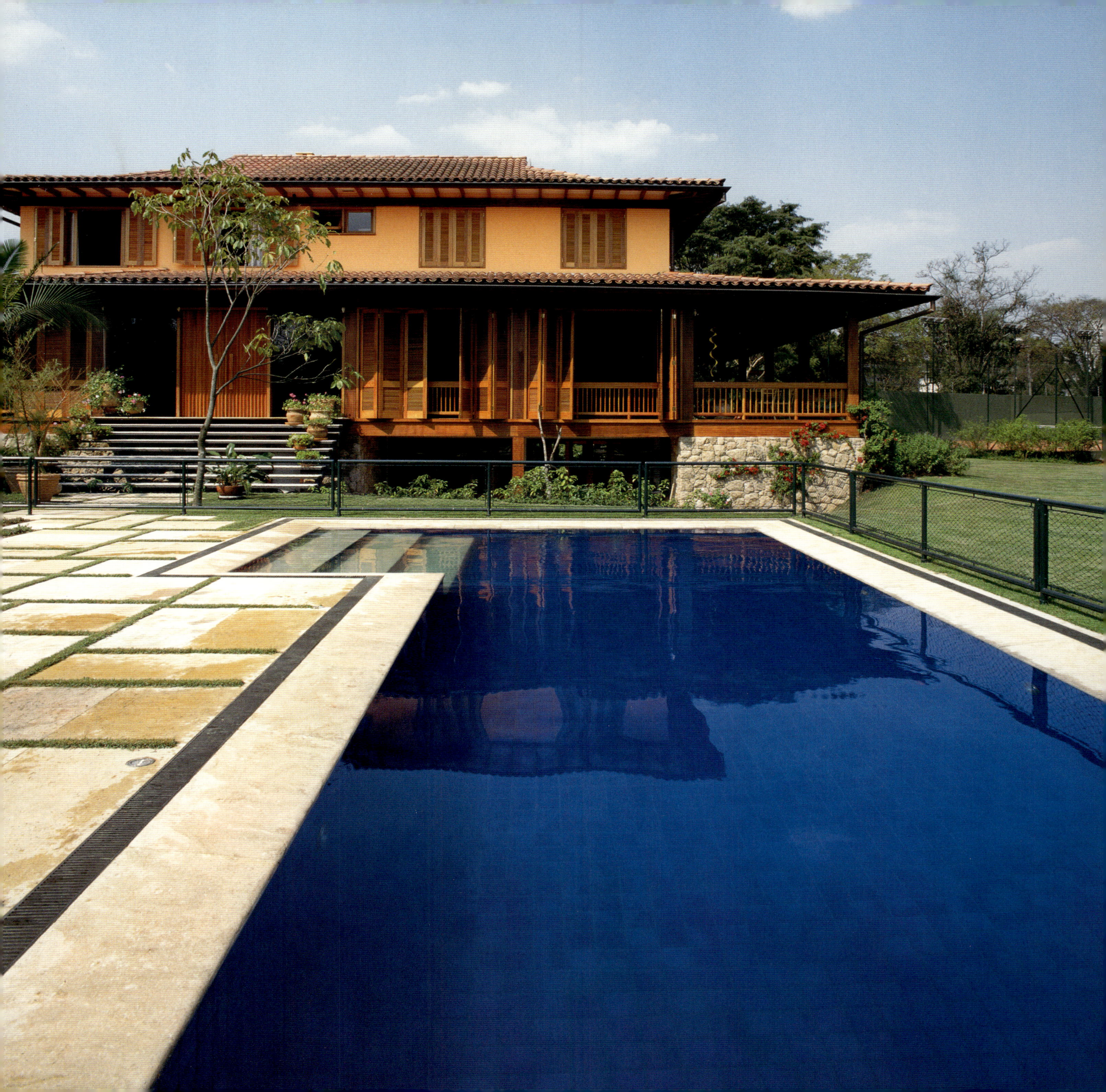

Apartamento Urbano 1997

Apartamento para um homem solteiro que servisse para encontros de negócios. Moderno e sóbrio, alguns móveis foram criados exclusivamente para o [...] outros pertencem a uma linha própria de nosso escritório.

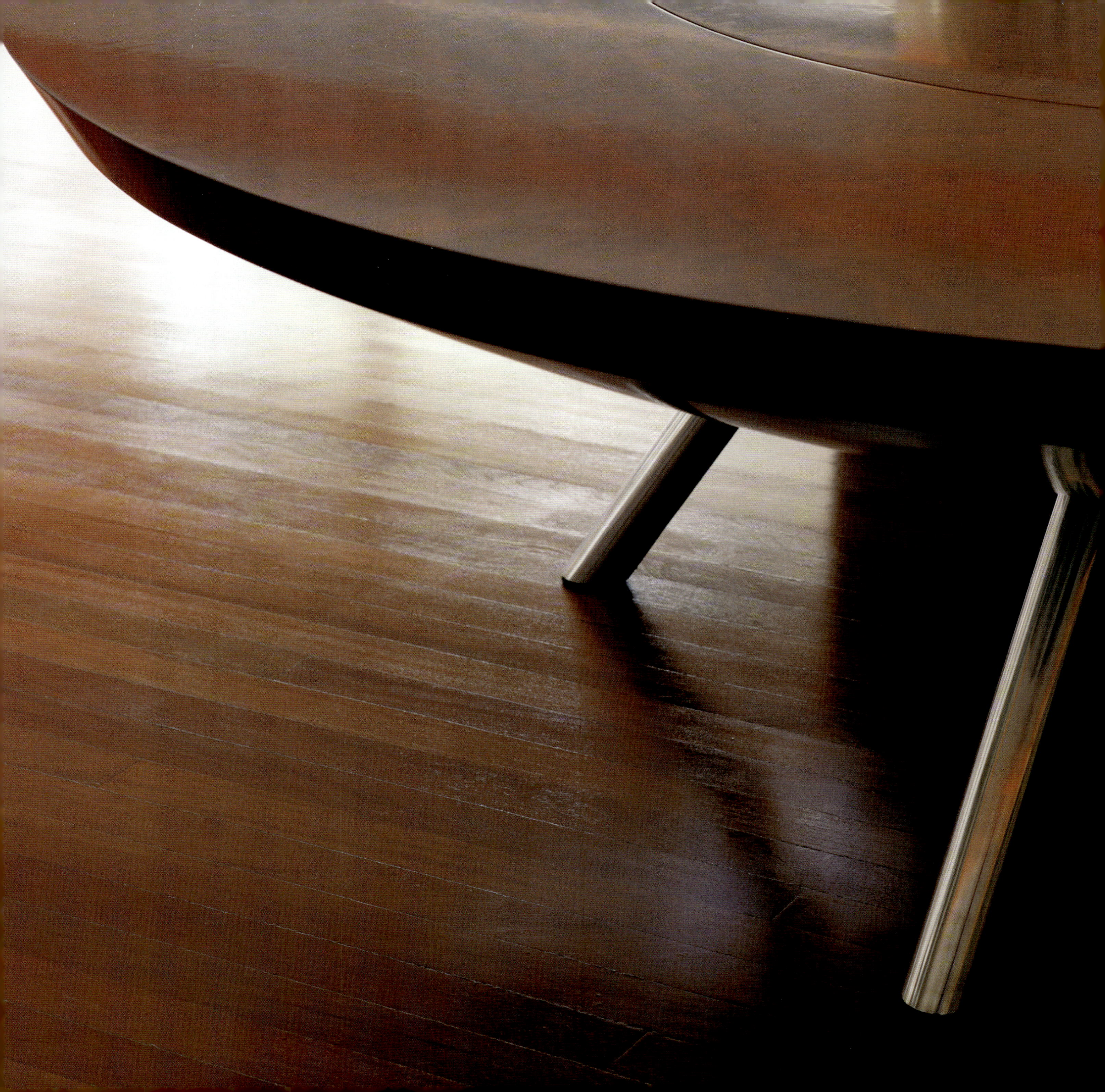

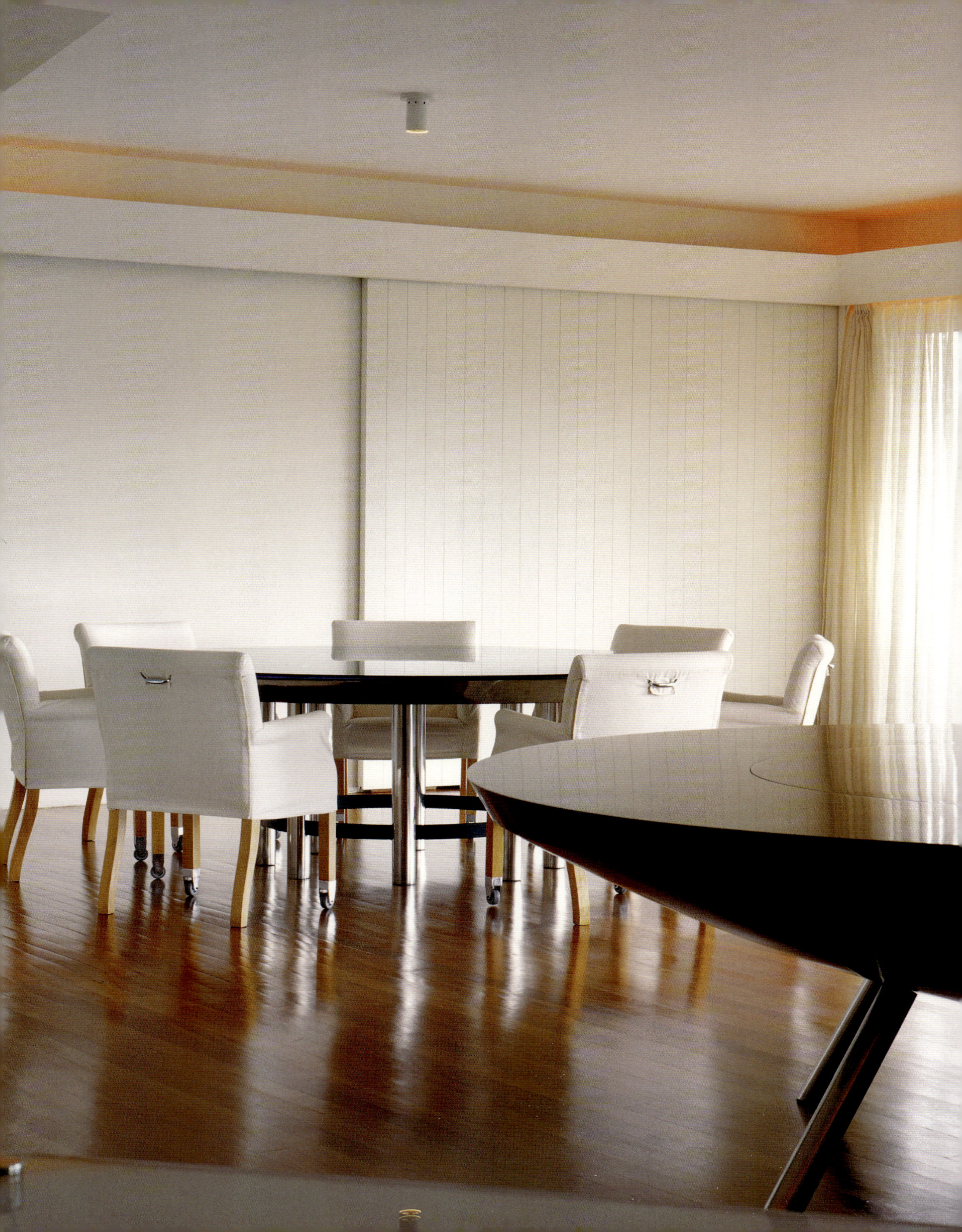

A inovação deste projeto
é o uso de linguagens
de design aparentemente
antagônicas. A leveza
e transparência da mesa
em vidro desenvolvida
pelo designer Eduardo
Azevedo se contrapõem
às linhas mais brutas e
coloridas desenvolvidas
pelo Claudio

A varanda foi concebida para conter plantas tropicais típicas da região, com a piscina entrando sob a cobertura em vidro

Casa do Horizonte 1997

Um grande pátio em réguas de madeira em contraposição com uma construção em ferro pintado de branco dão a esta arquitetura um caráter contemporâneo. Esta diversidade de estilos de nossos trabalhos possui uma unidade. É no equilíbrio das plantas baixas como estudo concreto do modo de vida daquele cliente específico, independente de outros conceitos como partido, sistema estrutural e etc... O começo é sempre para nós a planta baixa.

Rio

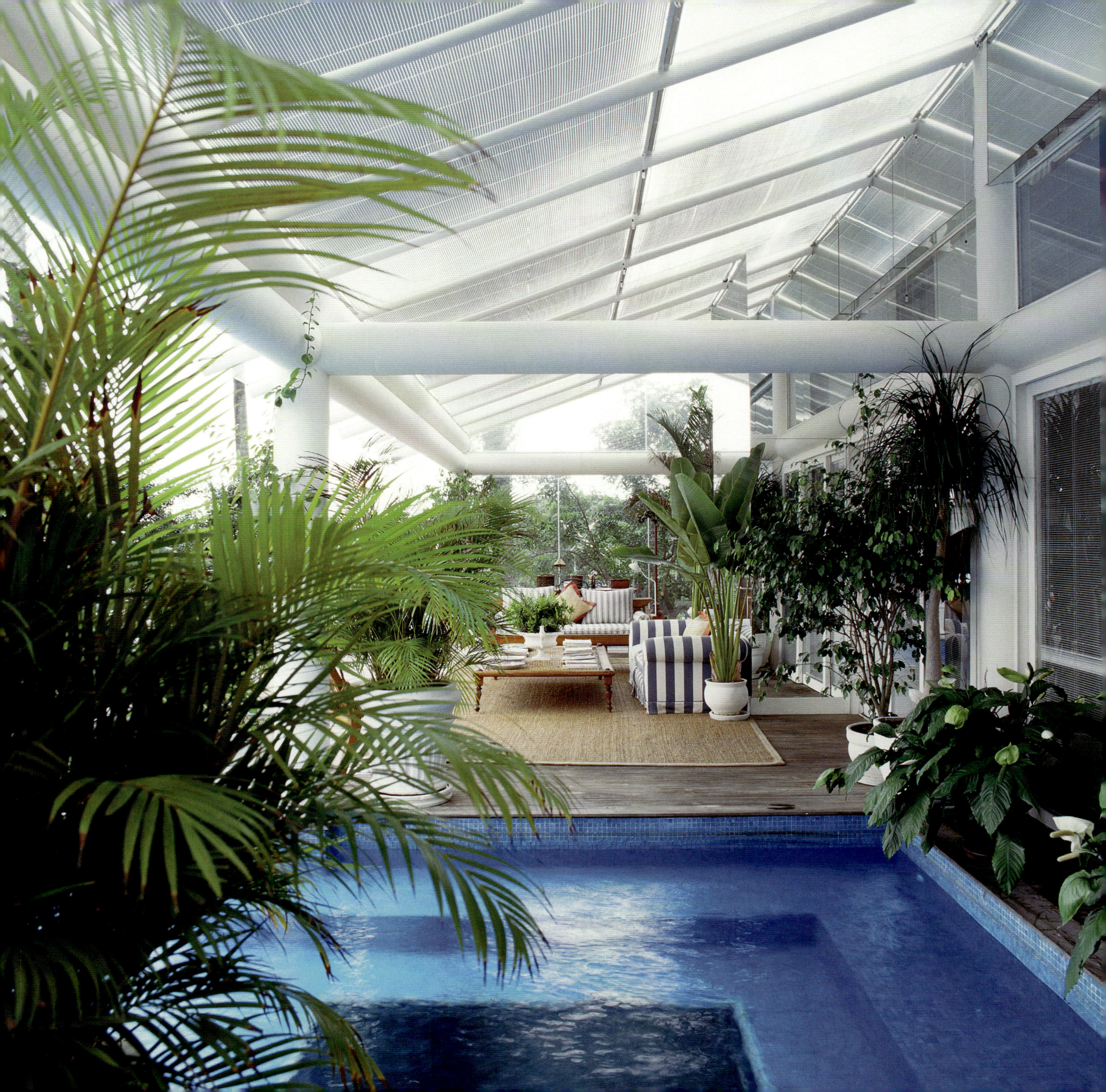

A luz ilumina o piso inferior enquanto que na chegada, o grande deck em madeira transforma as árvores em esculturas

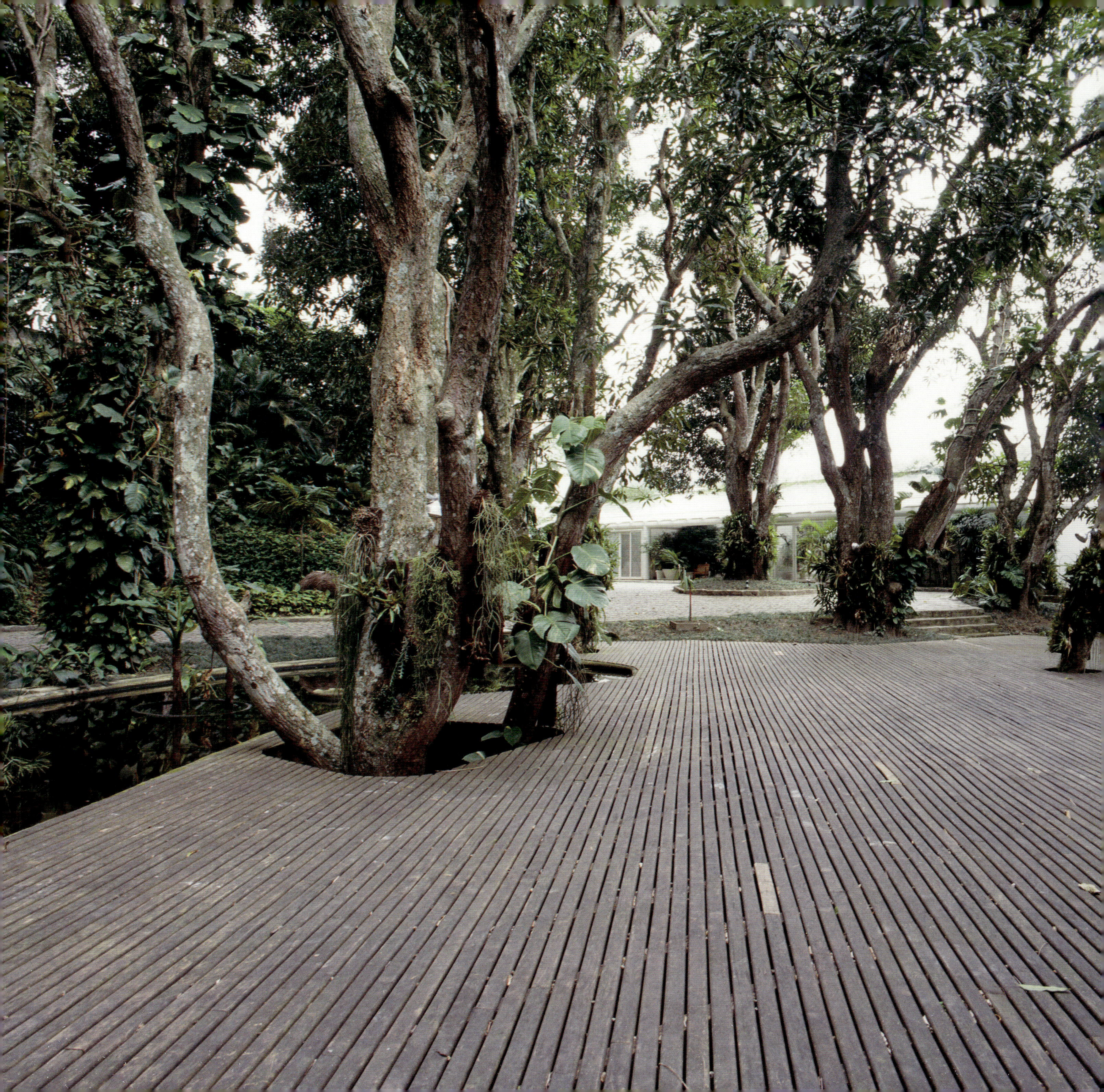

Apartamento do Caetano 1998 *É um edifício raro na praia de Ipanema com frente de 20 metros que nos fez tentar trazer a vista para todas as áreas de convivência da família (hall, sala íntima, sala de estar, sala de jantar, sauna). Isto foi possível usando as venezianas articuláveis em madeira pintada, transparentes e removíveis com um sistema de trilhos. A tonalidade de todos os espaços reflete as cores da areia. O piso de mármore travertino traz a areia para o interior do apartamento. É um ambiente luminoso e calmo como Caetano Veloso.*

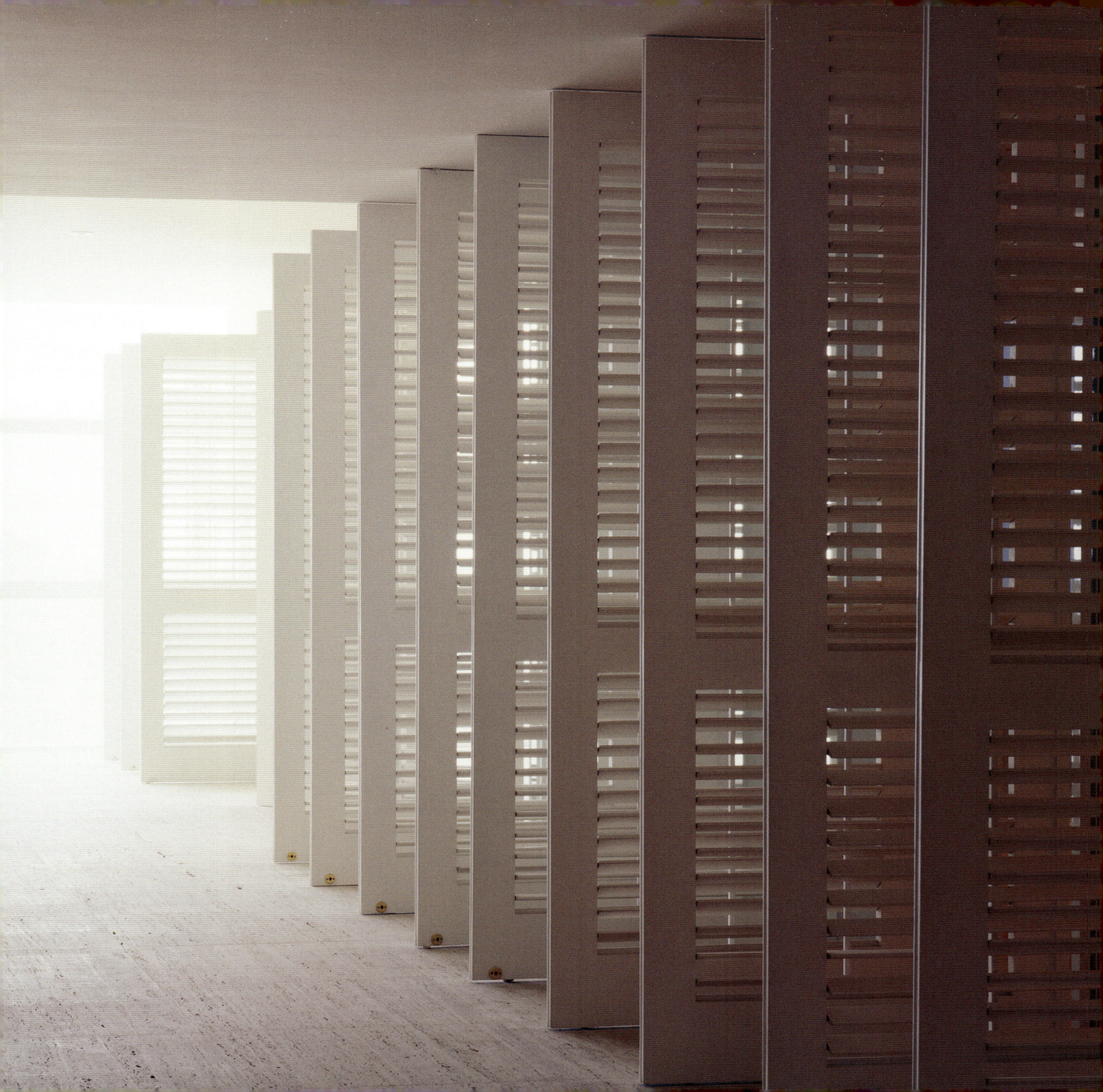

No hall de entrada a
arquitetura do interior
sustenta a beleza dos
espaços independendo do
mobiliário. A ilusão de
infinito dos espelhos se
repete no ritmo das
esquadrias de veneziana

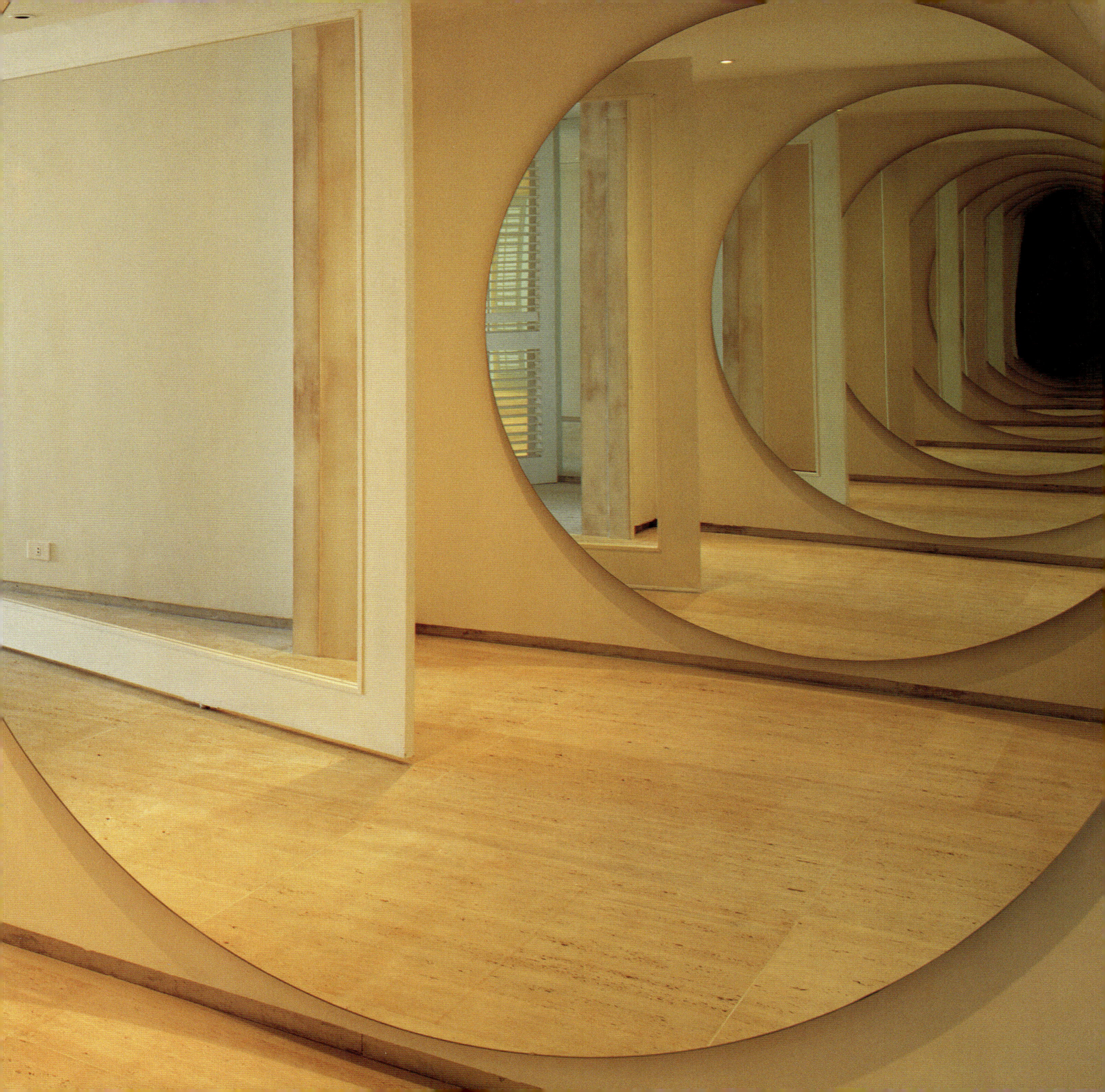

Venezianas articuláveis diferenciam os espaços através da intensidade e tonalidade da luz

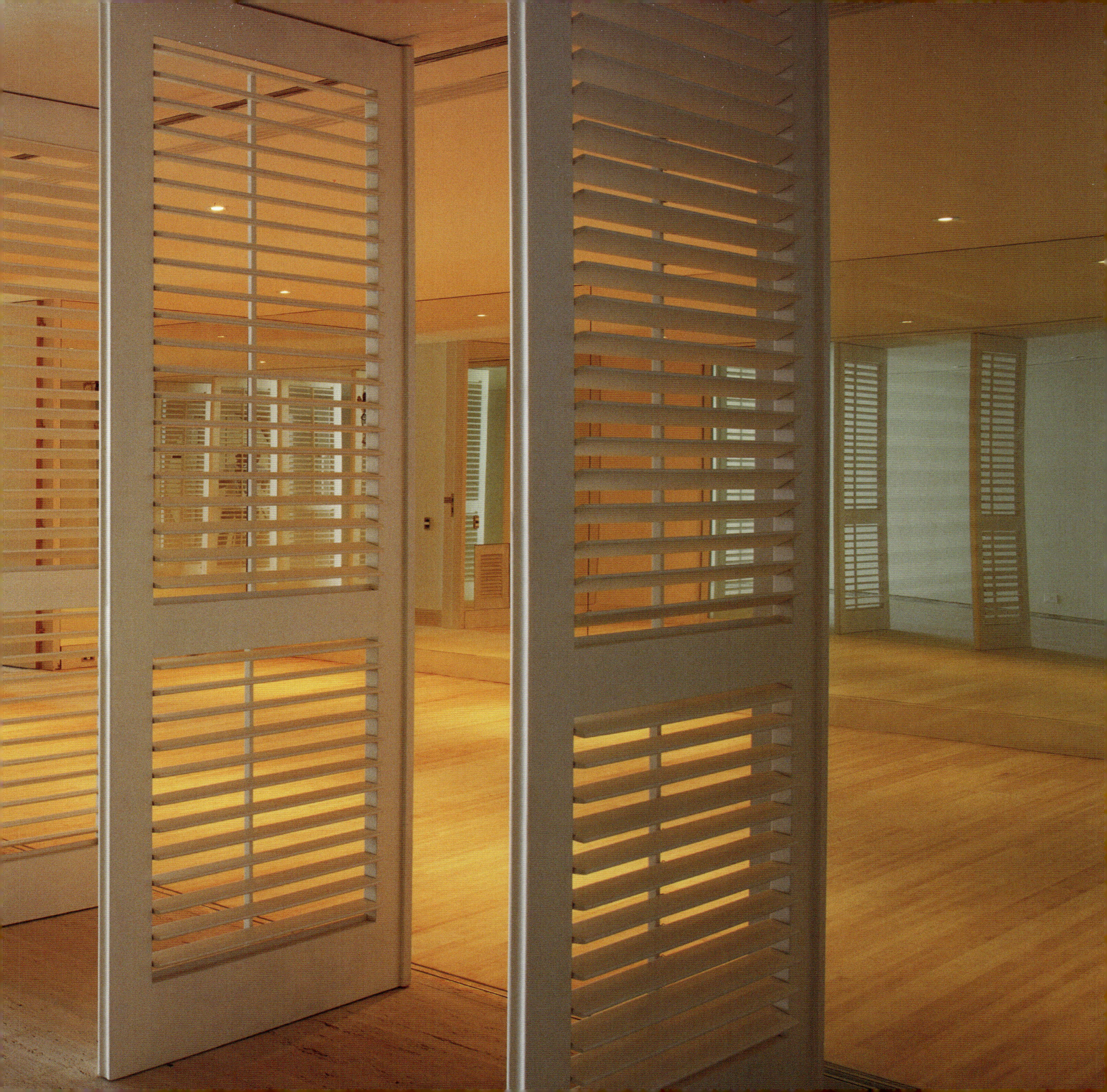

Casa da Joatinga 1998

O desejo do cliente neste projeto foi procurar uma construção que lhe proporcionasse a sensação de elevação, de flutuar. Coisa rara nestes anos todos de trabalho, um programa em que as funções comuns de uma residência se colocam num plano posterior, privilegiando um sentimento, uma procura. A solução foi criar um espaço transparente em que a noção de compartimento fechado não existisse. Grandes vãos estruturados em ferro, com o uso de pedra tanto no interior como nos terraços e piscinas, faz com que todos os espaços se fundam num mesmo tom.

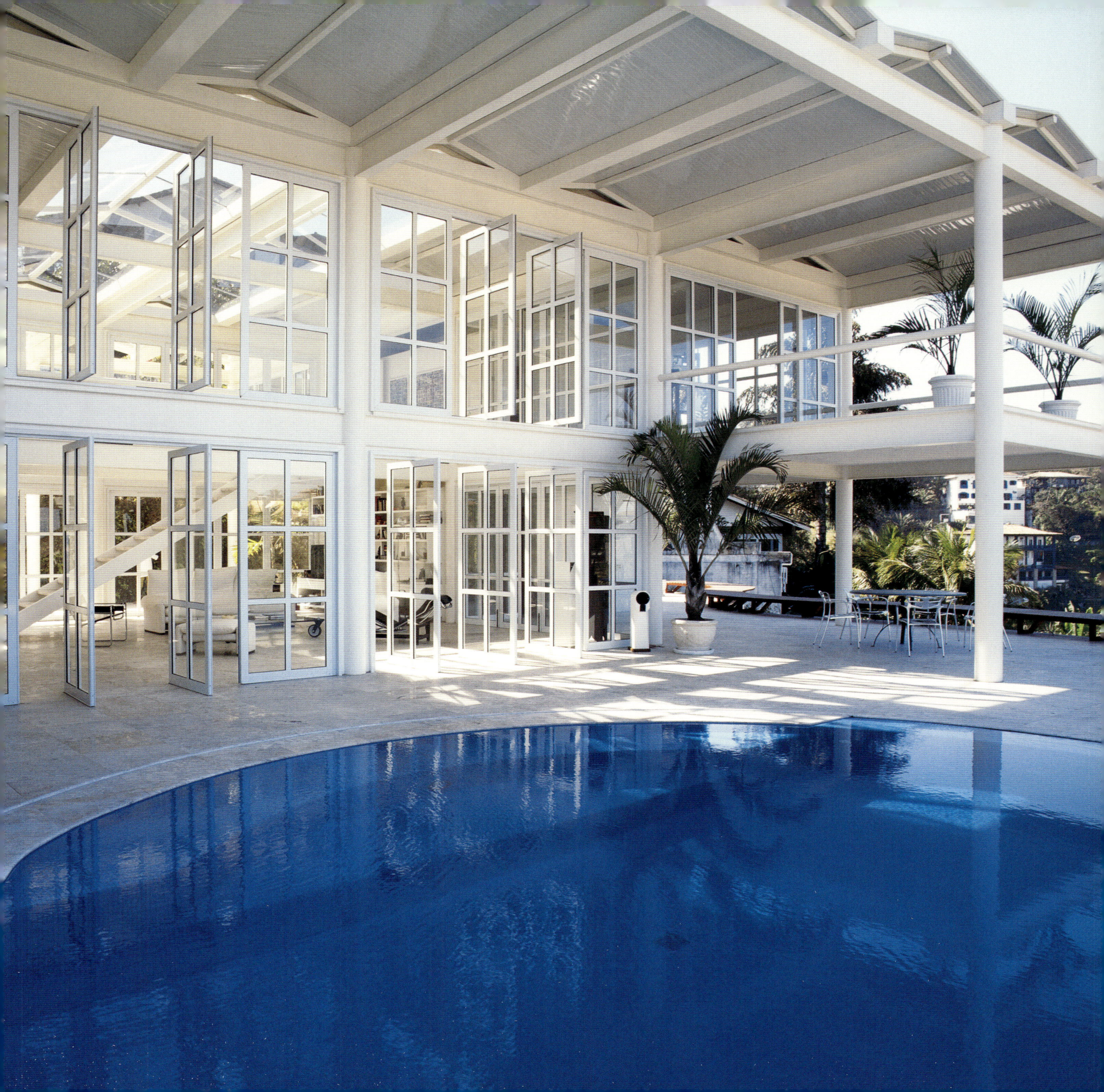

Os planos de luz separam os espaços nesta casa sem paredes

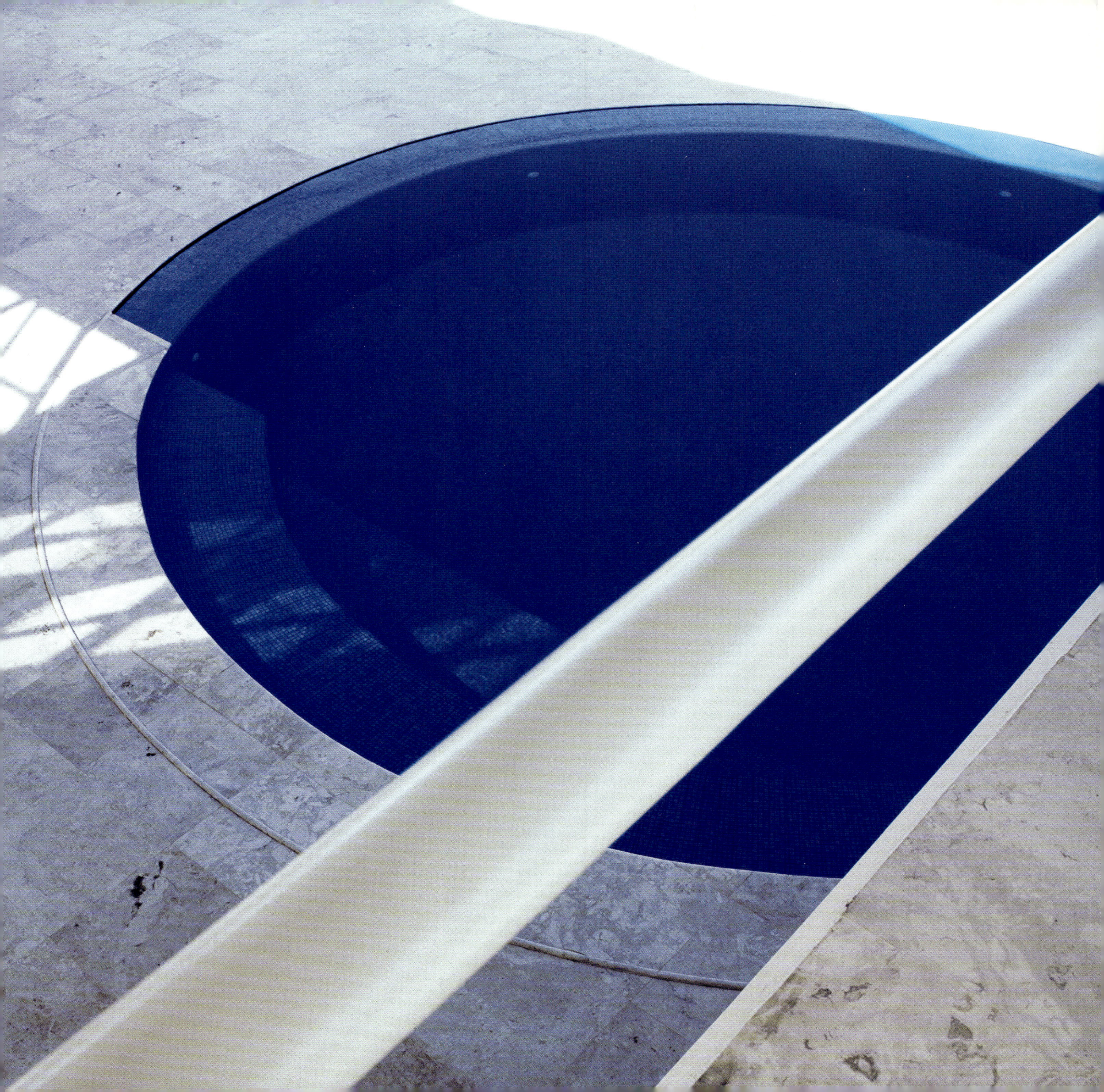

Espaço Artefacto 1998 *Criada no centro de São Paulo, no interior de uma loja de móveis e design, é uma exposição de um ano de duração. O desafio foi exprimir a idéia de uma cultura internacional (já que os móveis usados são de design basicamente europeu) ligada de uma forma muito especial à nossa cultura, através do uso das cores e das peças escolhidas para montar o espaço.*

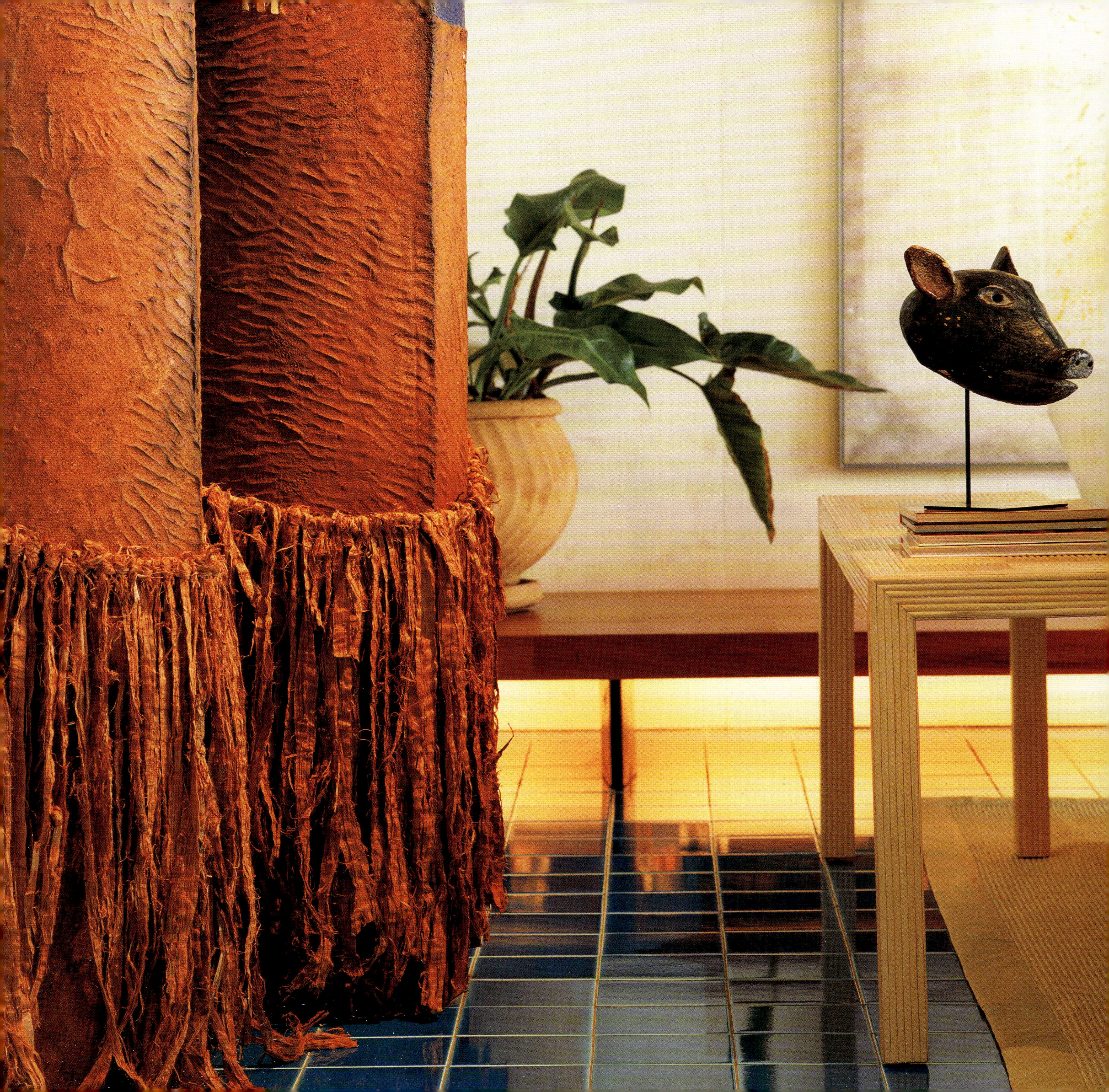

O uso equilibrado de cores fortes cria espaços oníricos que podem também ser elegantes

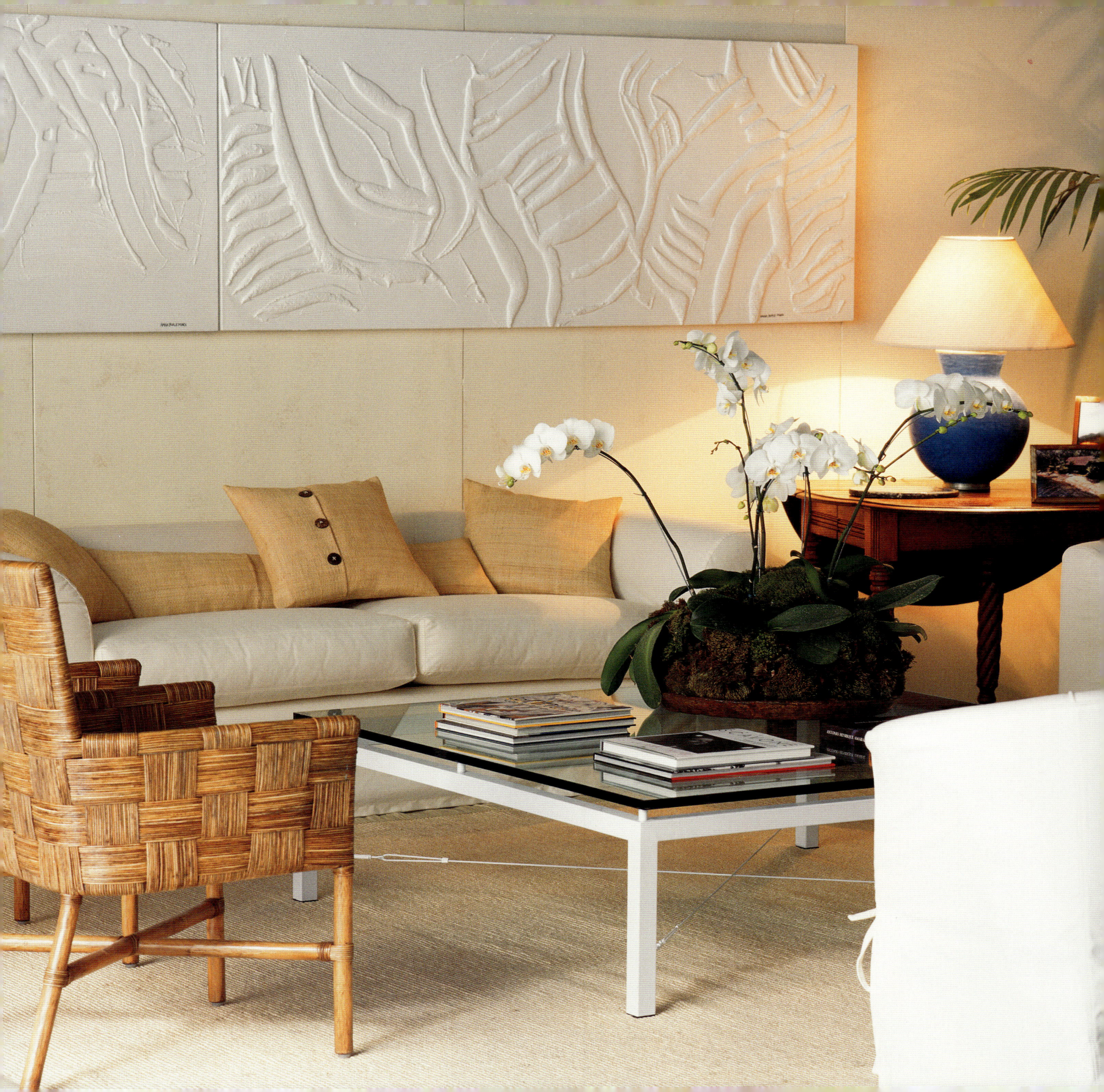

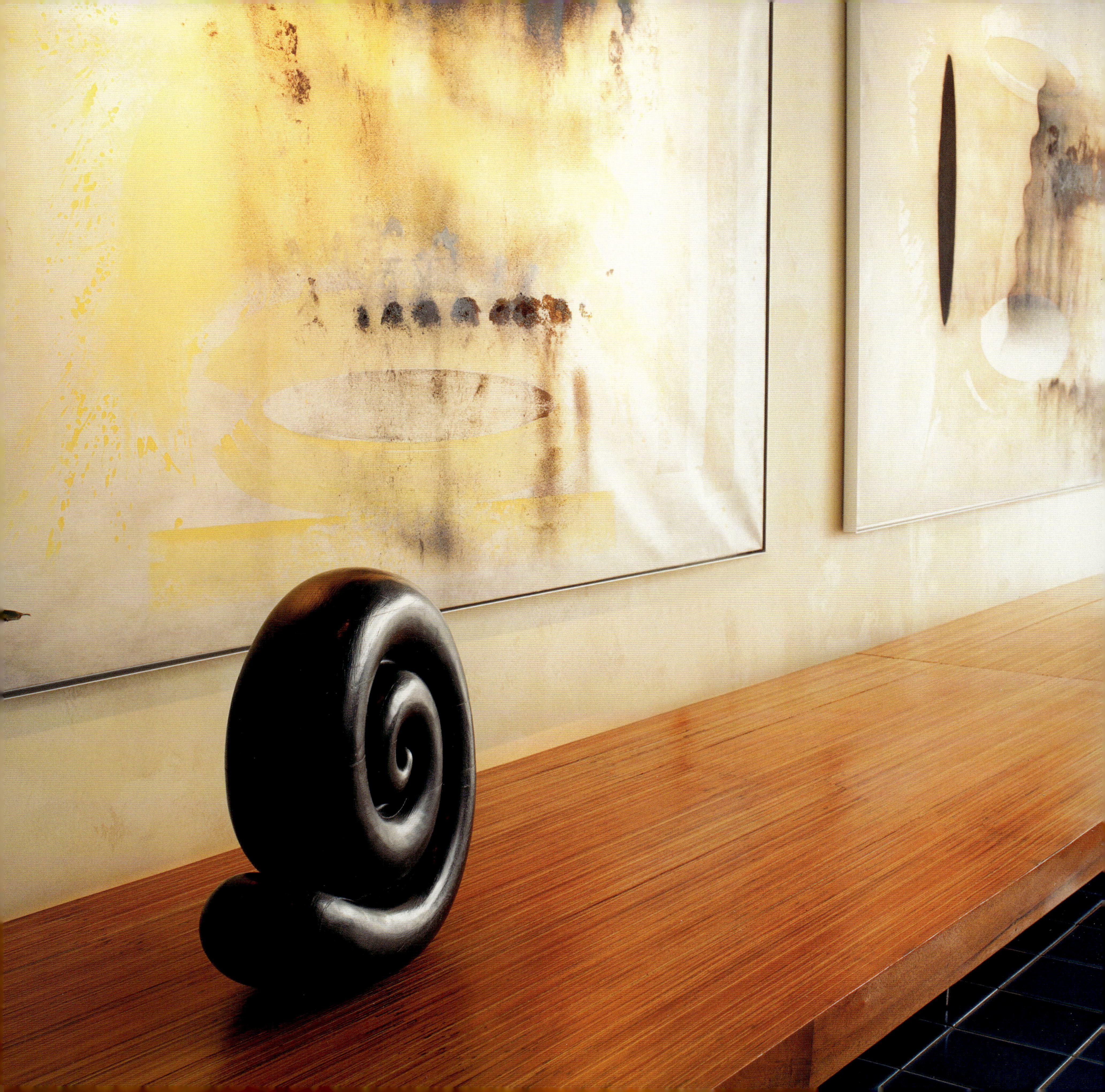

Os móveis são mesclas do design contemporâneo de origens diversas flutuando sobre um chão de cerâmica italiana em três tons de azul super brilhantes como se fosse o fundo do mar

Galpão Garden Center 1998 *A proposta é criar uma sensação de acolhimento e familiaridade com o ambiente. A arquitetura, neste caso, funciona como contraponto ao ritmo alucinante de uma grande cidade. Neste espaço para o uso comercial em que o produto de venda ajuda ao projeto, com o melhor dos temas que são as plantas e outros utensílios de jardim. O uso do ferro industrial com a madeira de reflorestamento em estado natural, que são materiais de naturezas completamente diferentes, é a tentativa de se desenhar a fachada quase como um quadro, usando elementos de cor e textura diversas.*

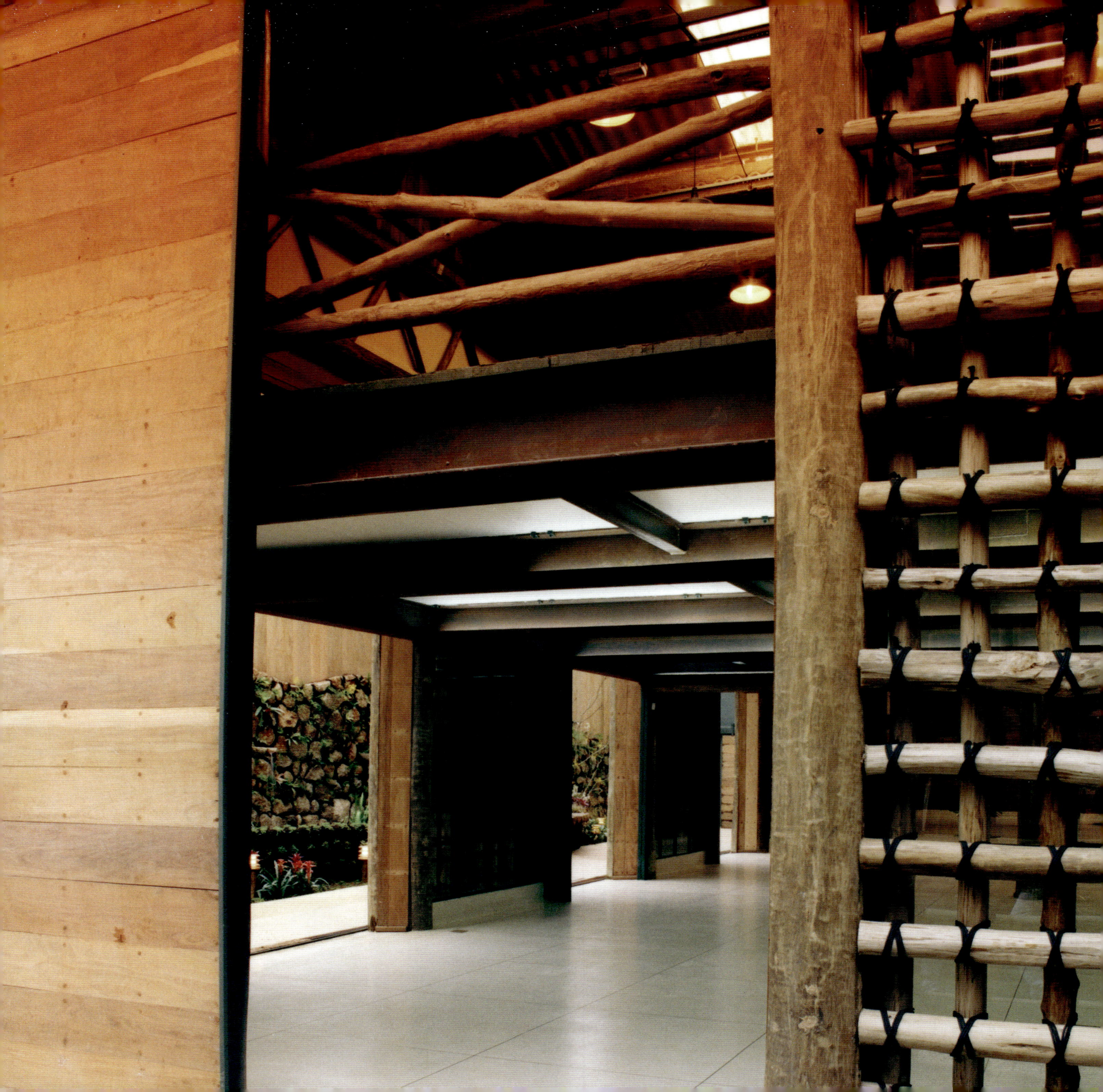

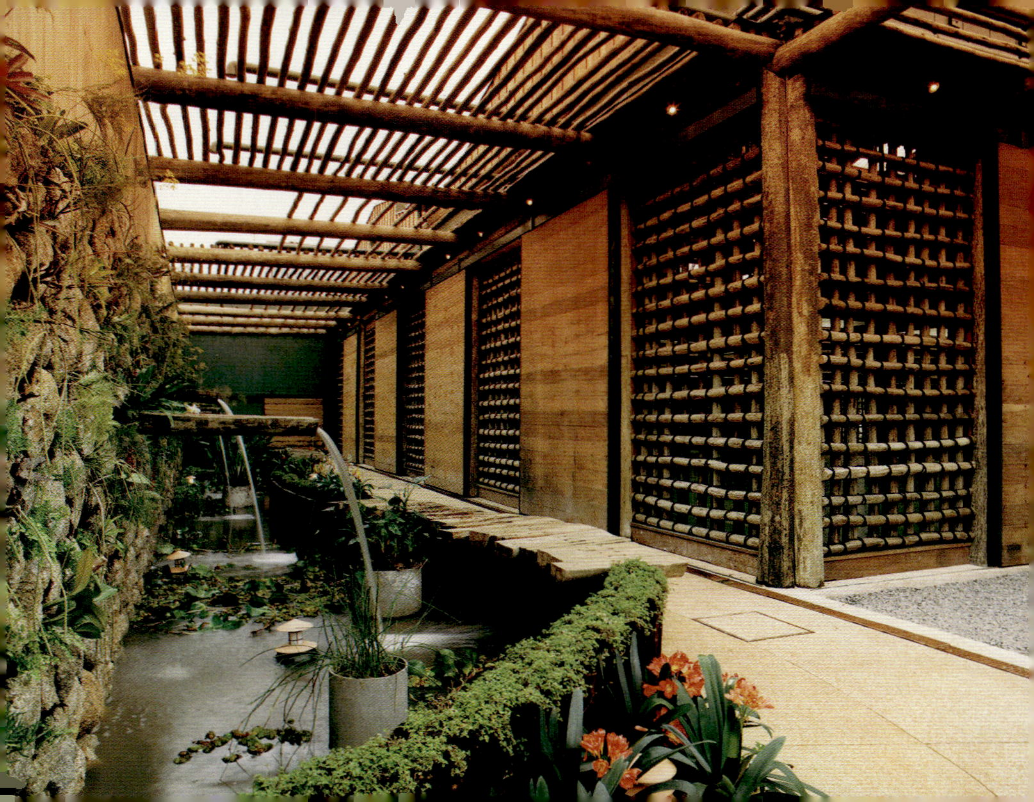

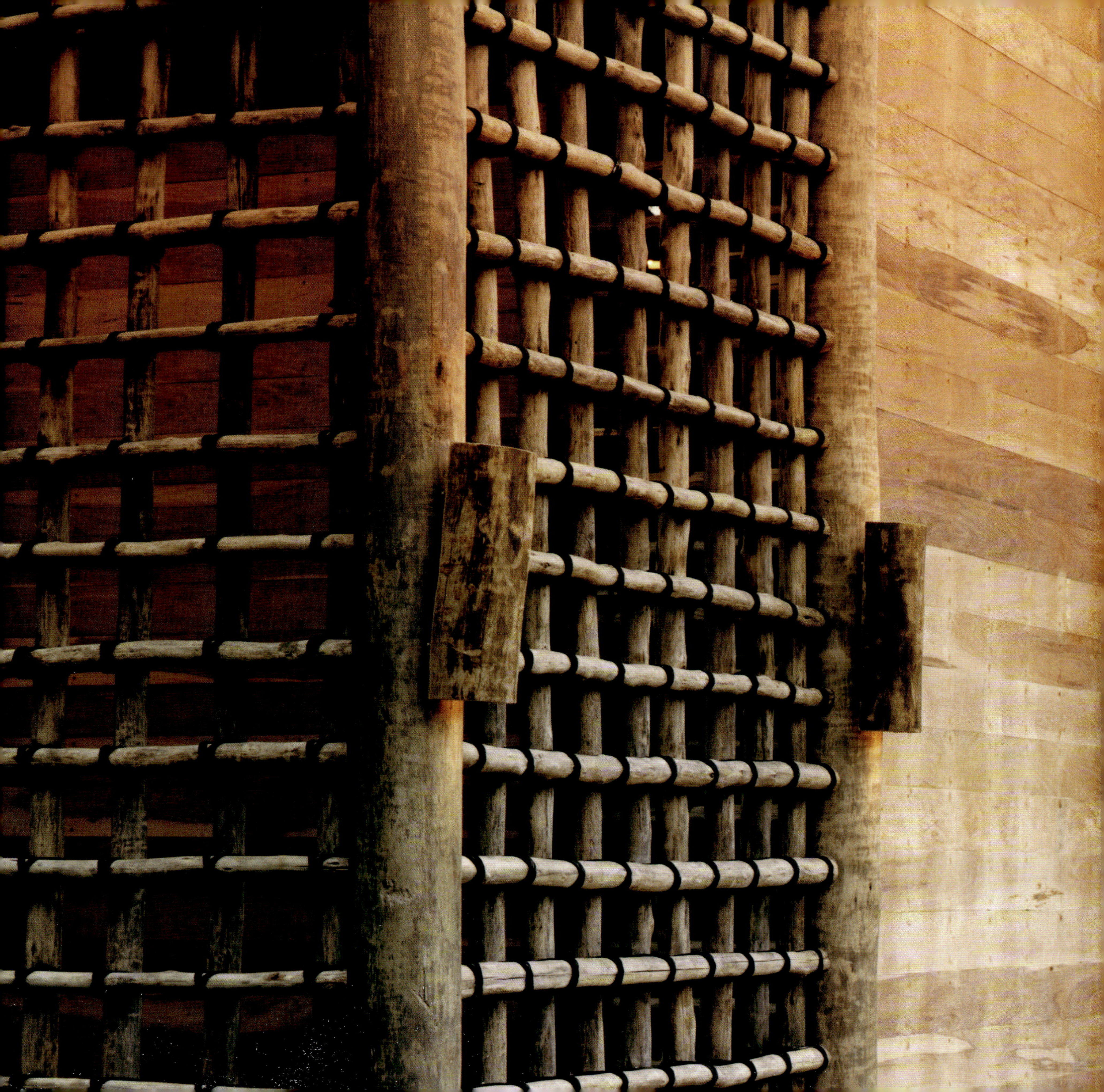

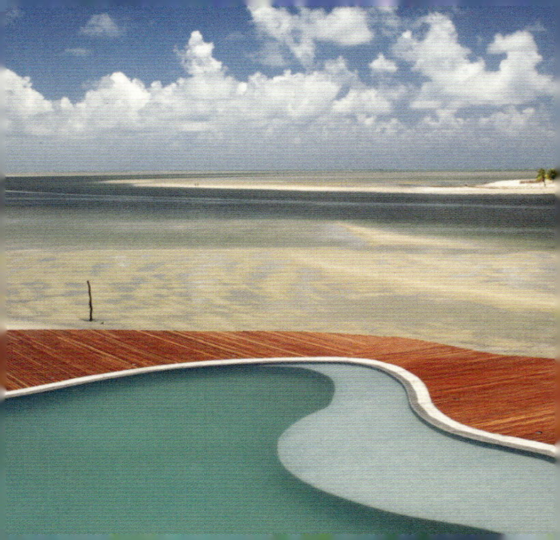

Mar

Casa da Palafita 1987 *Esta casa foi a primeira que fizemos sobre a água. Com isso o terreno ficou livre da costa e a vegetação original foi preservada. A praia de Angra permite esse tipo de construção. O mar é como se fosse um grande lago verde-esmeralda, com uma pequena faixa de terra disponível confinada pela Serra da Bocaina. A casa é uma grande bandeja de concreto estruturada sobre vigas de aço, lançada sobre o mar onde se monta uma casa artesanal com toda uma tecnologia moderna.*

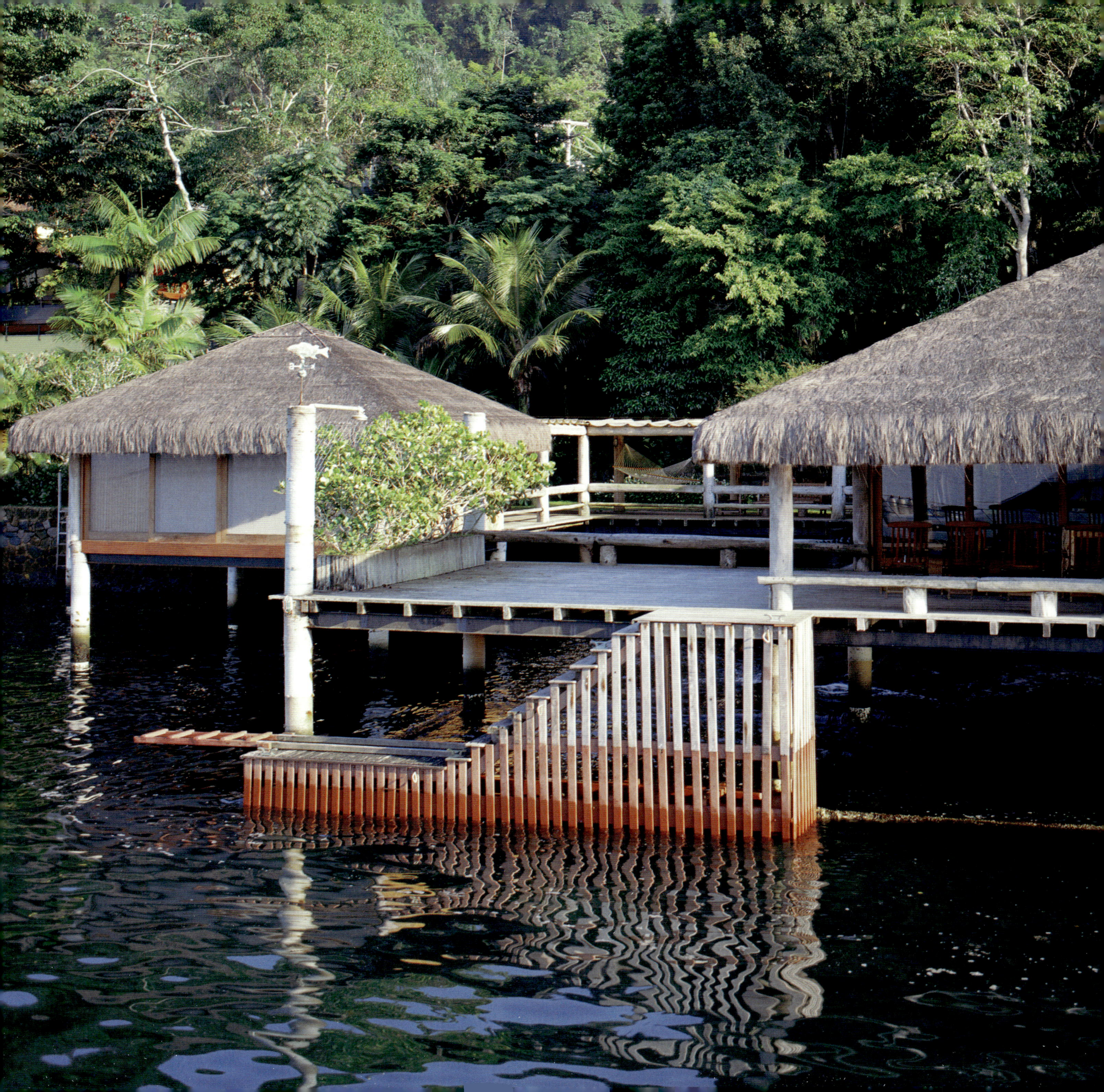

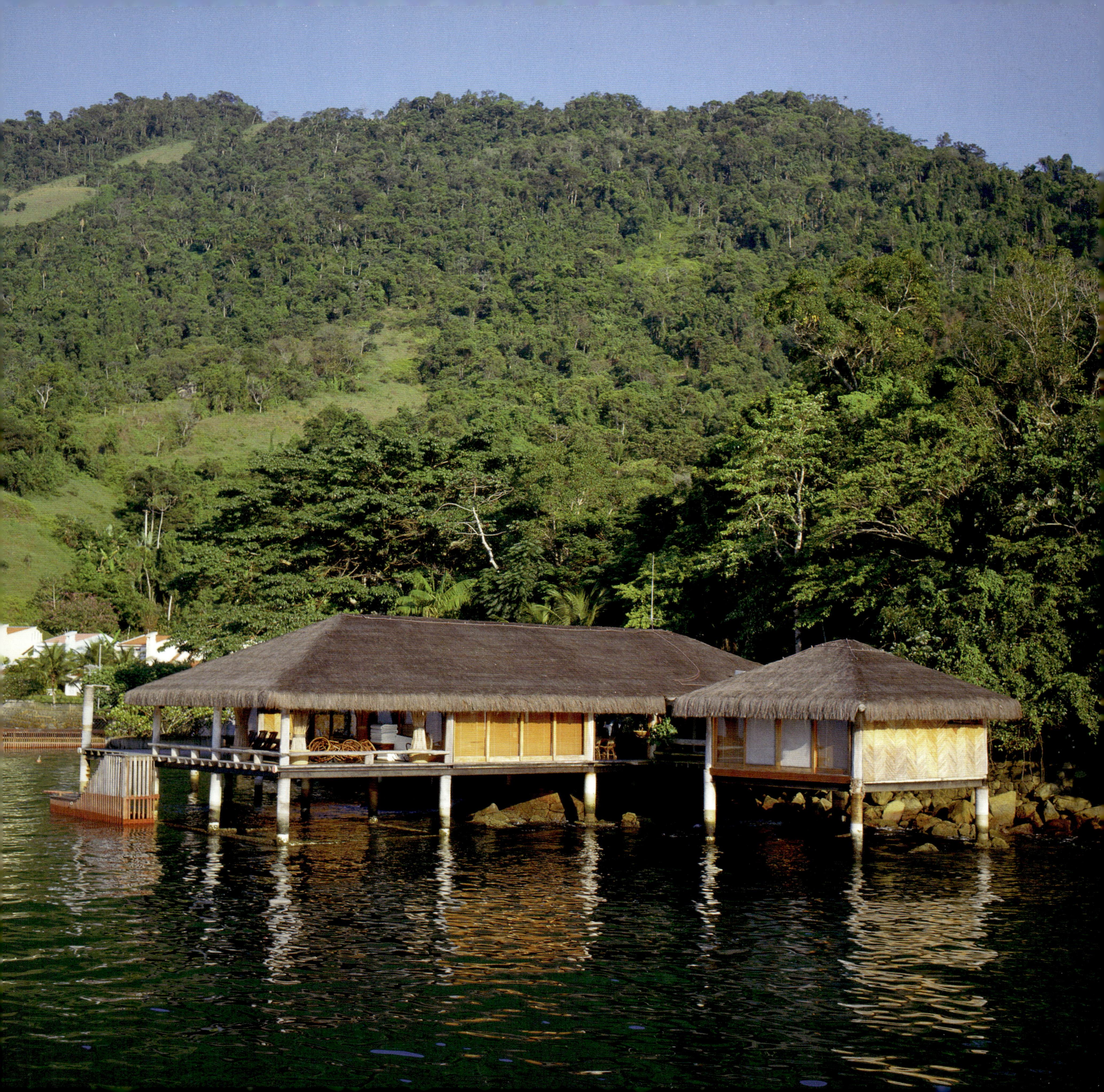

O terreno "difícil" e a construção apenas se encontram.

A casa, totalmente lançada no mar, é a continuação natural do jardim

As circulações são pontes de toras sobre o mar, cobertas por uma fina camada de fibra de vidro proporcionando um efeito de lanterna japonesa

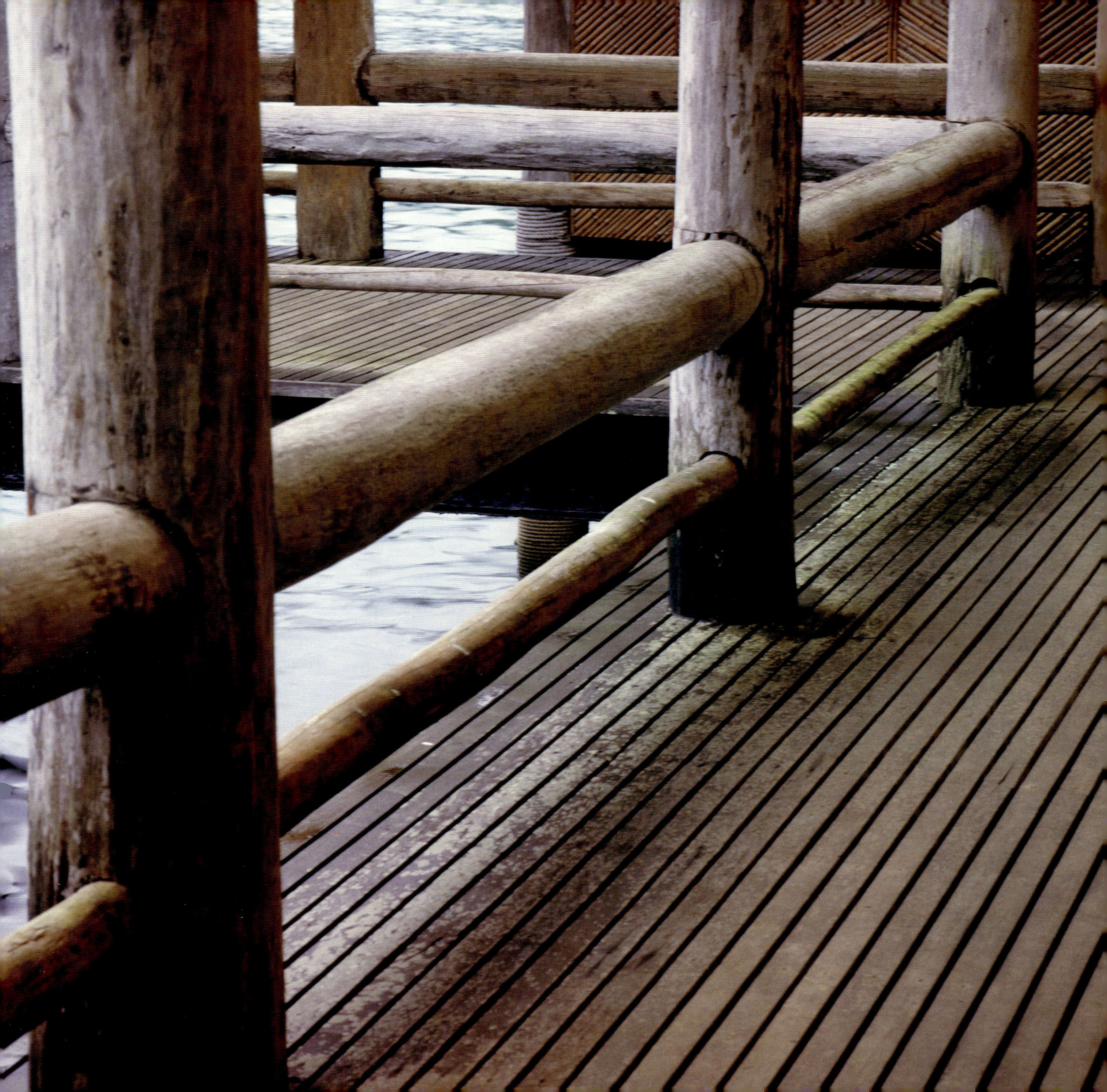

Casa do Boi 1989

Localizada numa pequena ilha de 20.000 m², com um terreno de cota máxima de 10 metros, induziu ao desenho de uma casa de um pavimento, linear e espalhada em módulos sobre o mar. Procuramos enfatizar essa horizontalidade, buscando a mínima altura do nível da casa em relação ao máximo das marés. Esta proximidade das pessoas com a água é enfatizada com o uso de portas ao invés de janelas, criando uma ilusão de infinito.

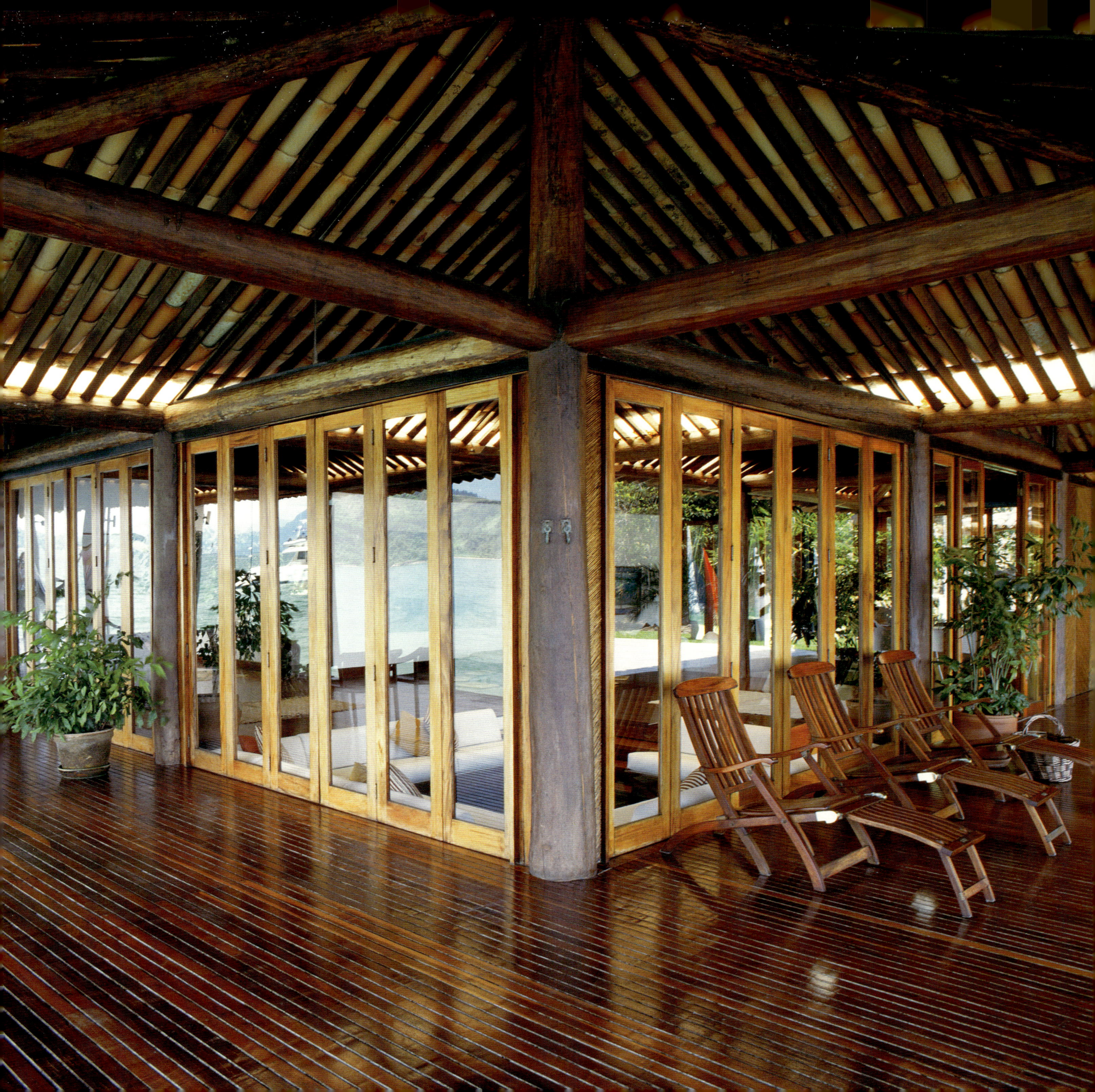

O envolvimento da arquitetura com o mar foi evidenciado no interior, com os pisos em vidro no centros dos ambientes

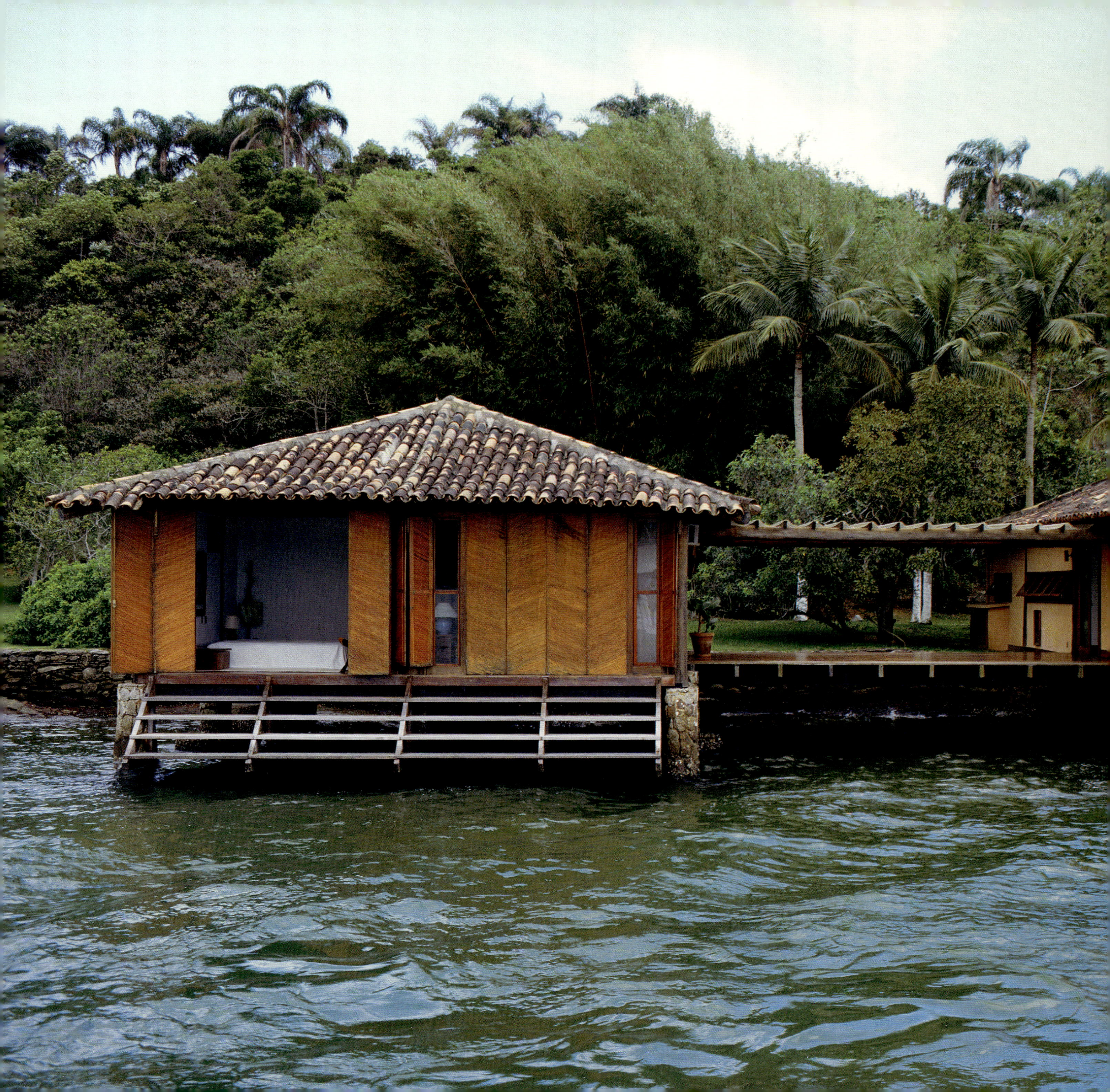

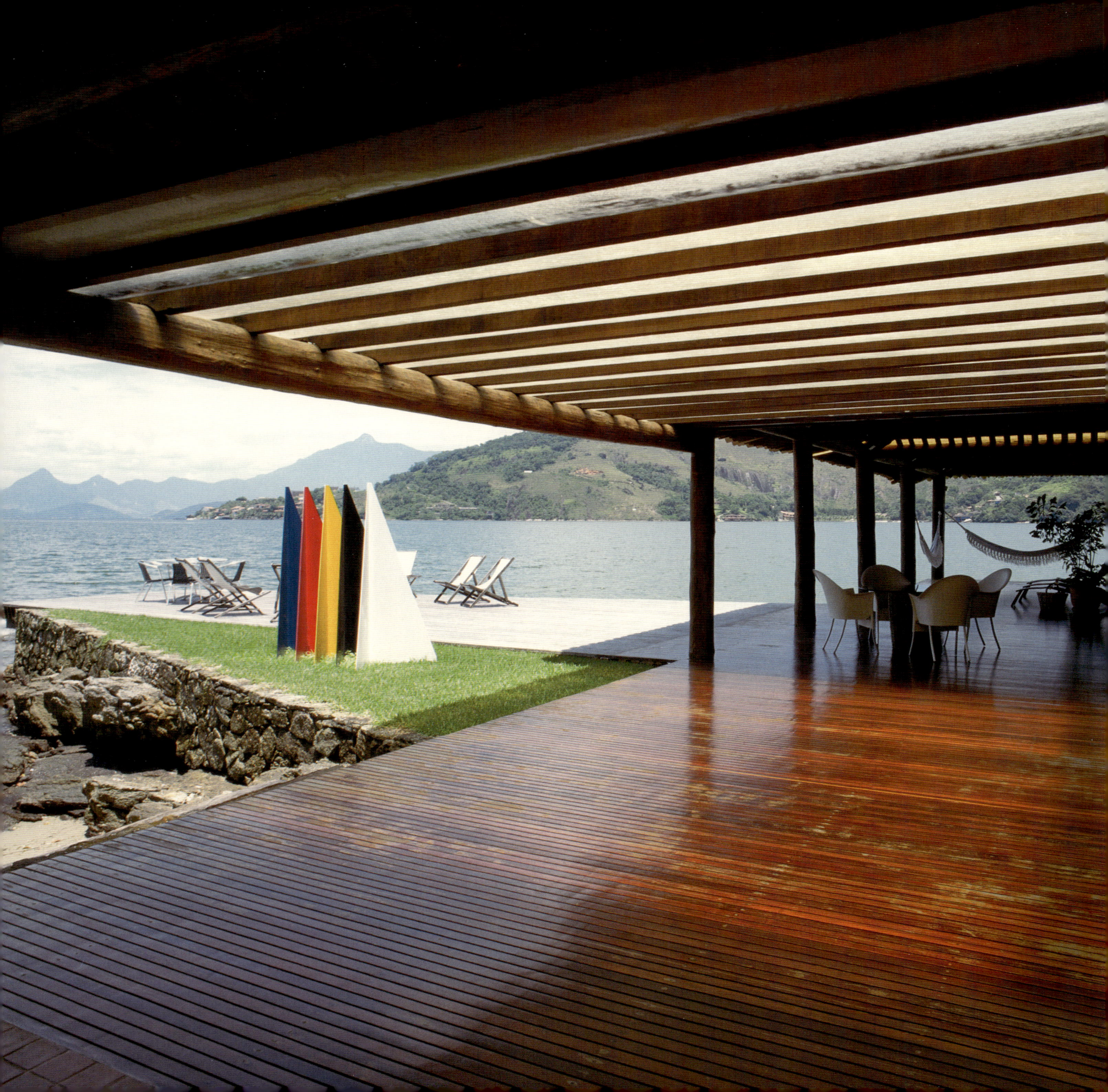

Um traço marcante desta arquitetura é a convivência entre o uso de materiais brutos e naturais e uma concepção moderna de espaço

Casa do Claudio 1990
Movido por uma profunda paixão pelo lugar, Claudio fez uma obra artesanal que se estendeu ao longo de três anos. Durante este processo a construção foi se tornando simples, buscando cada vez mais uma sintonia com o terreno. Isto permite que hoje, mudando poucos elementos da arquitetura, como por exemplo a cor, ela se transforme. É um projeto de sensações, em que sons, luzes e cheiros são quase elementos concretos. O resultado criou uma atmosfera mágica e muito natural, onde o interno é pensado como um espaço teatral.

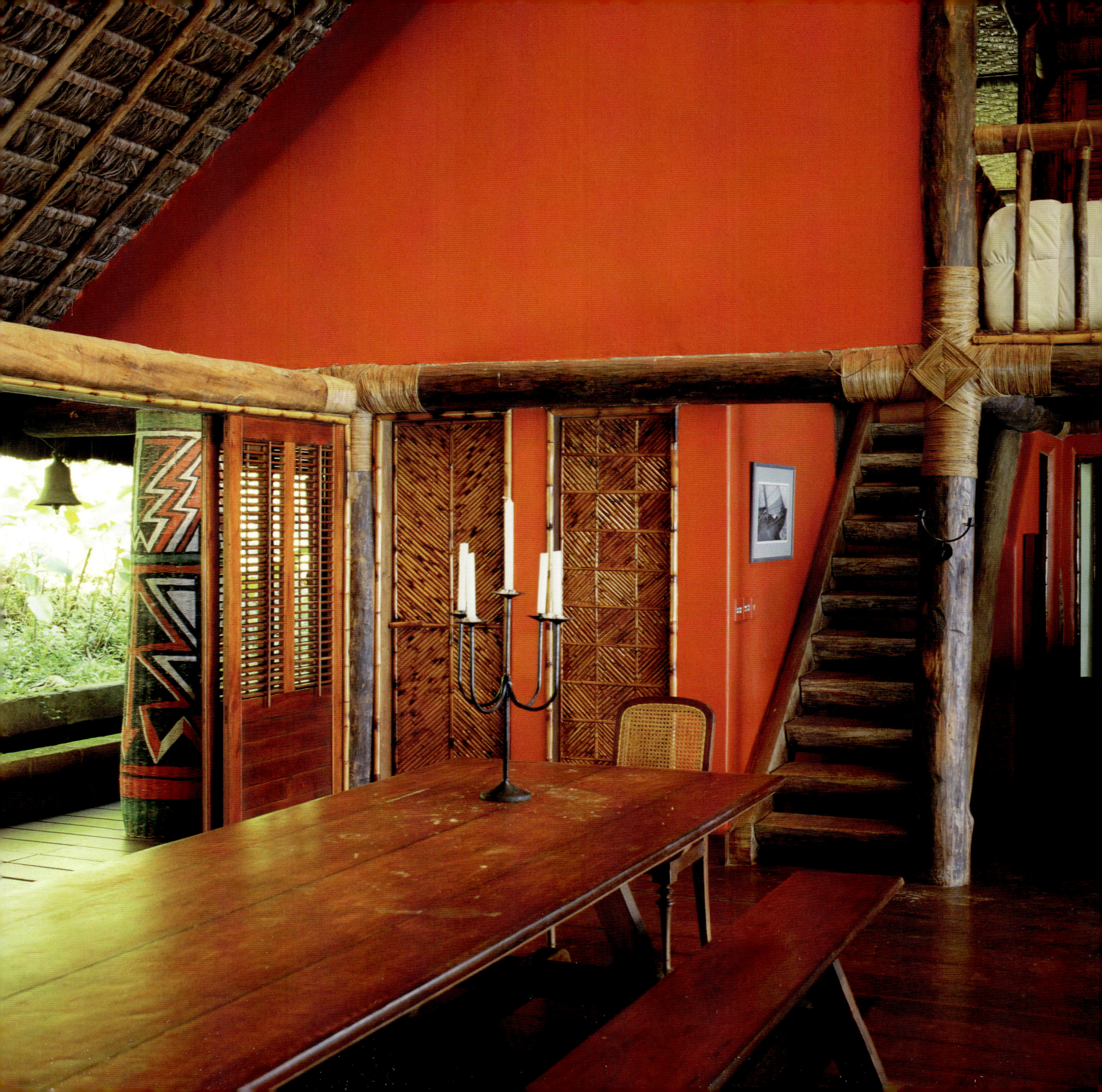

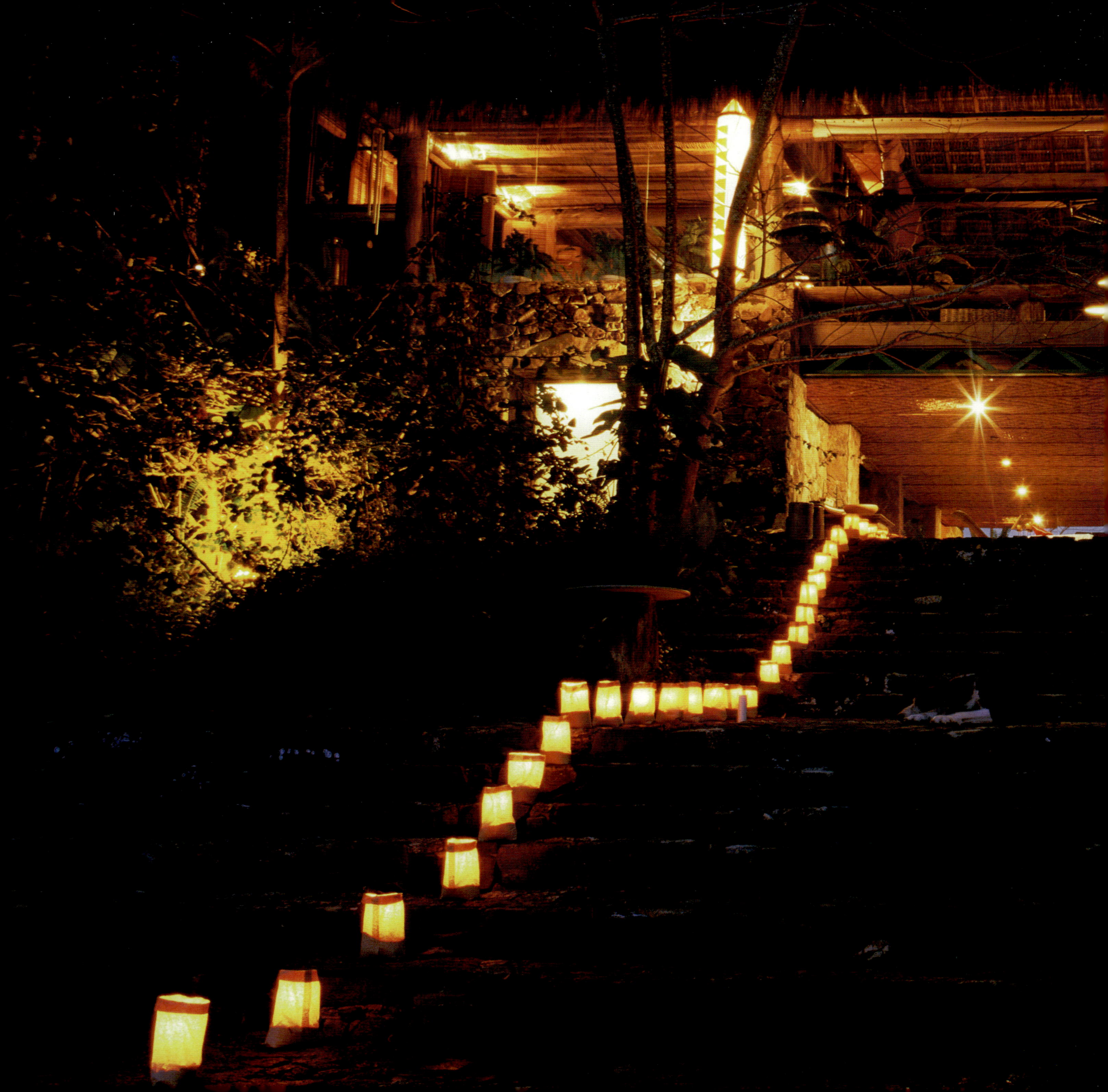

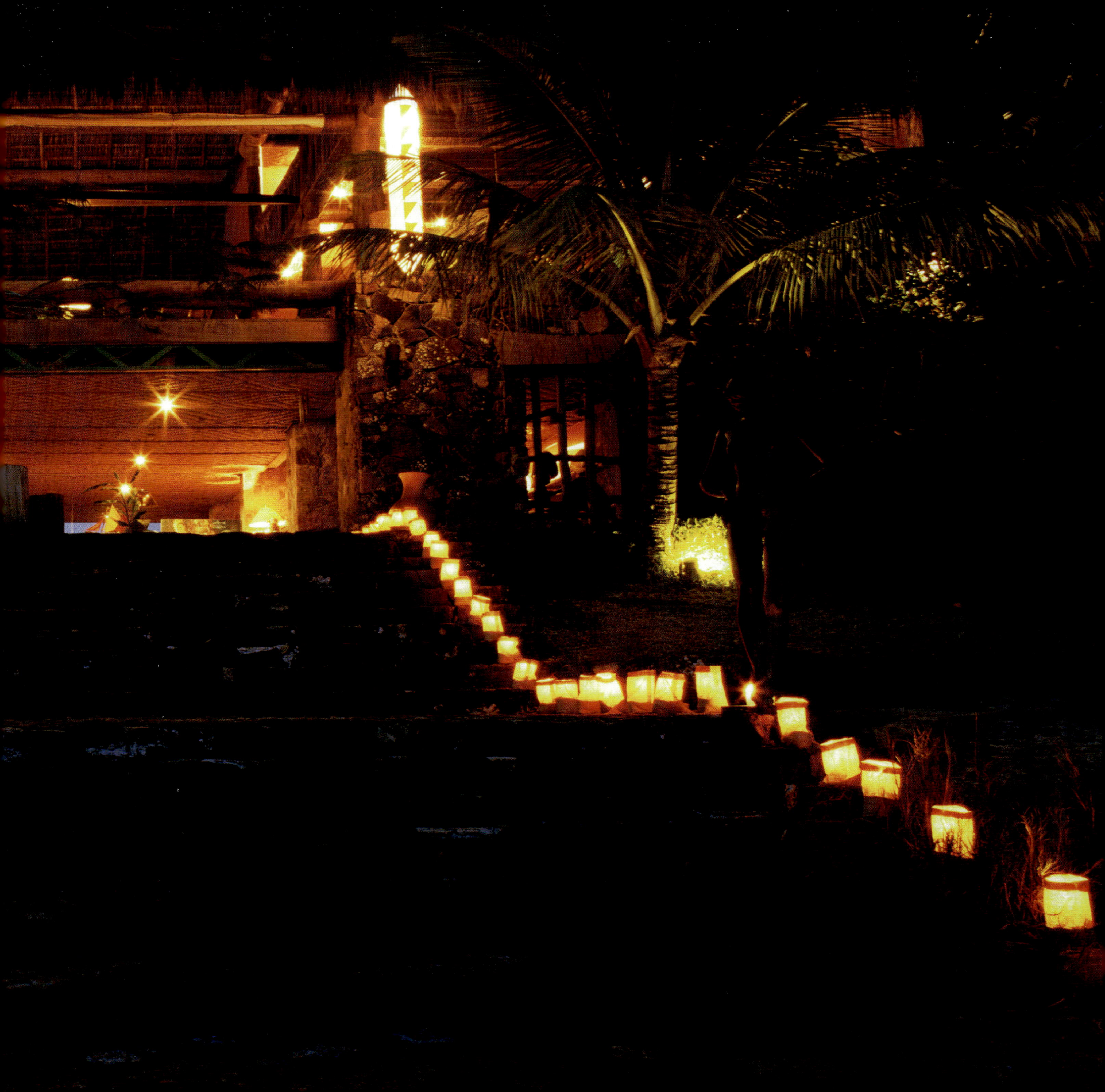

"A minha casa é uma situação aberta, sempre em movimento, onde coloco elementos do meu cotidiano daquele momento"

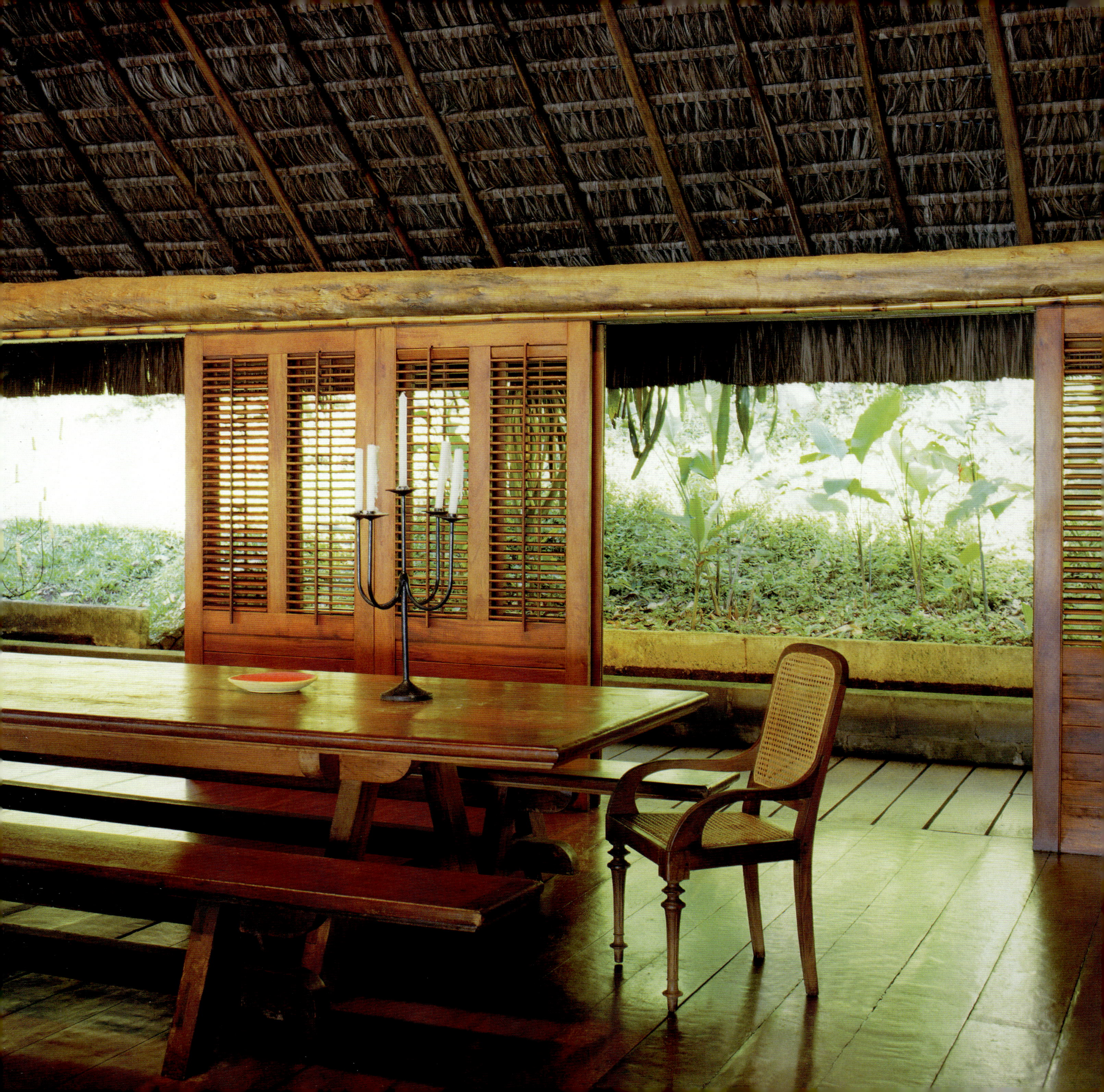

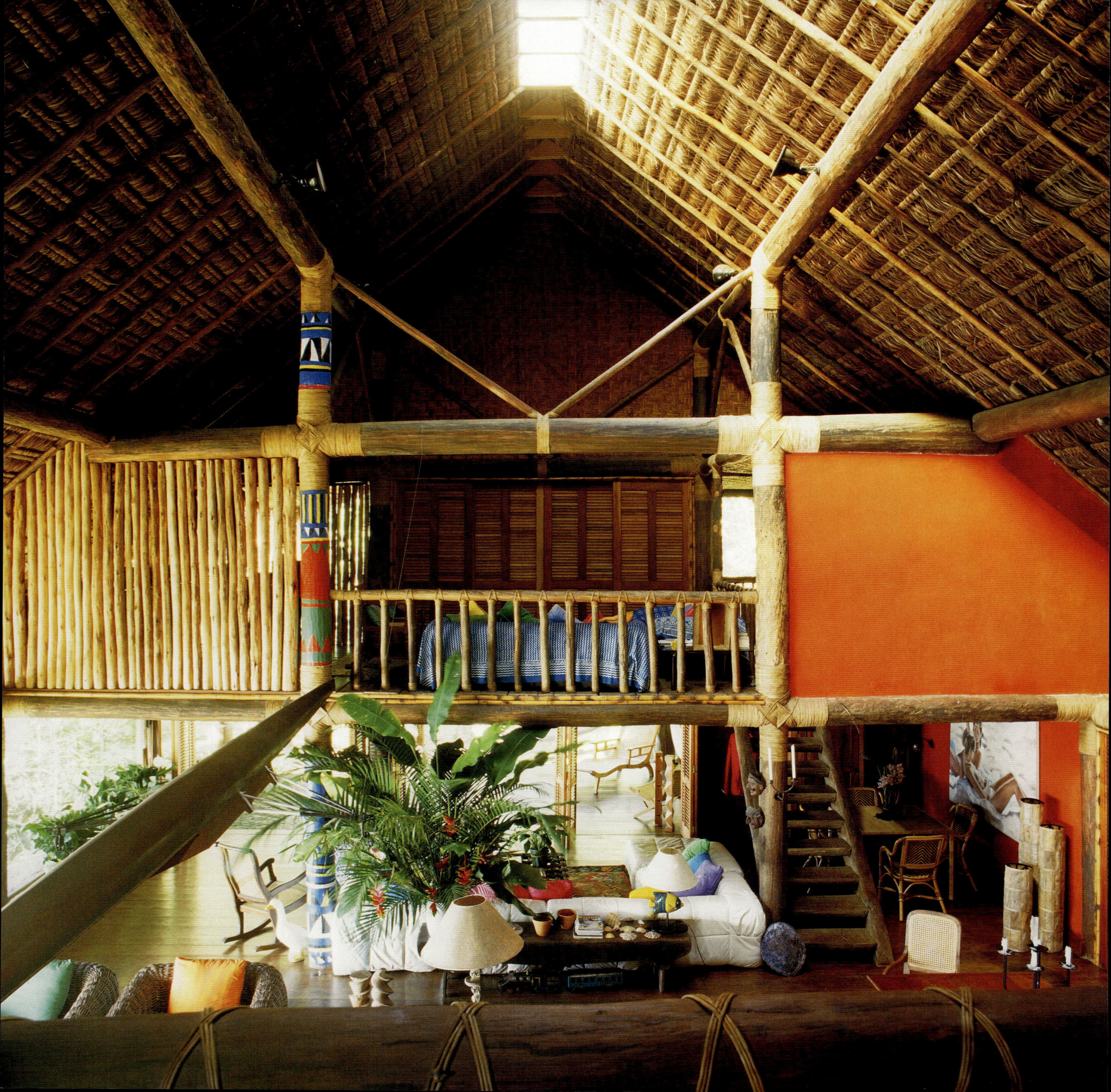

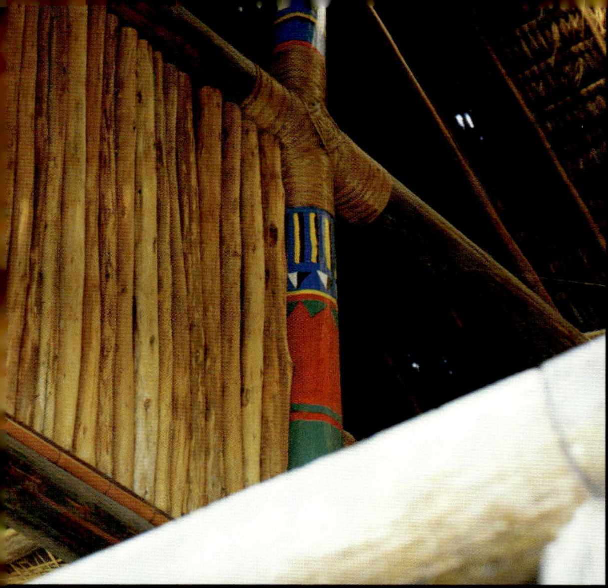
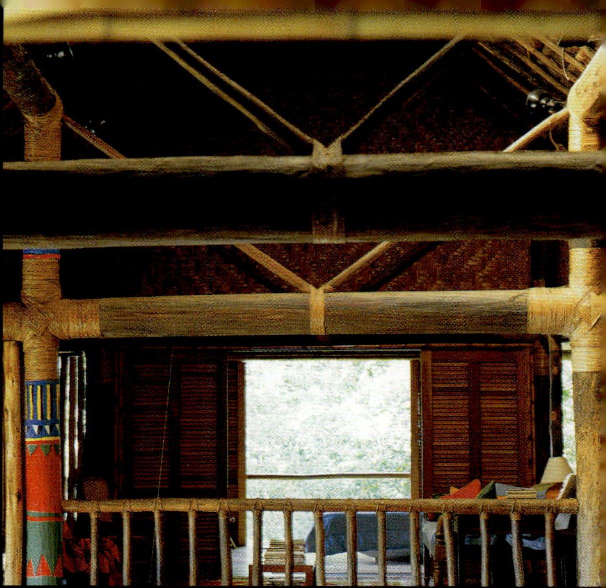
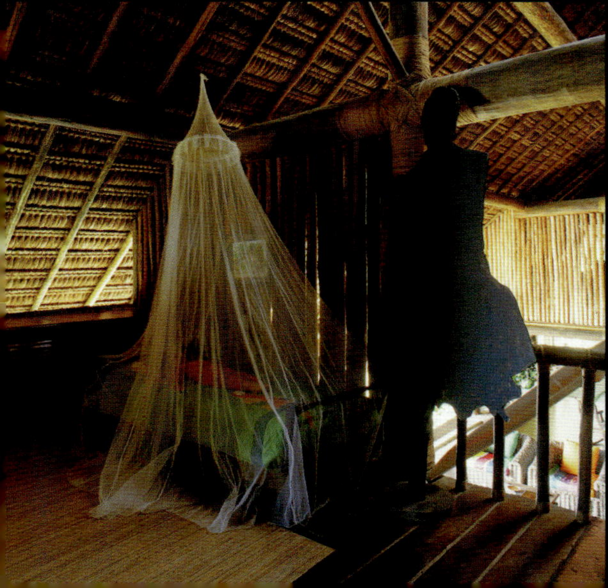
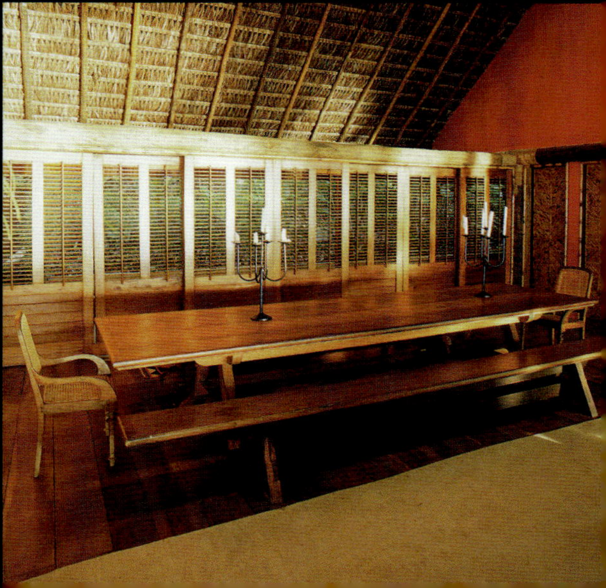

"A ilha como refúgio proporciona uma mudança no olhar das coisas, isento

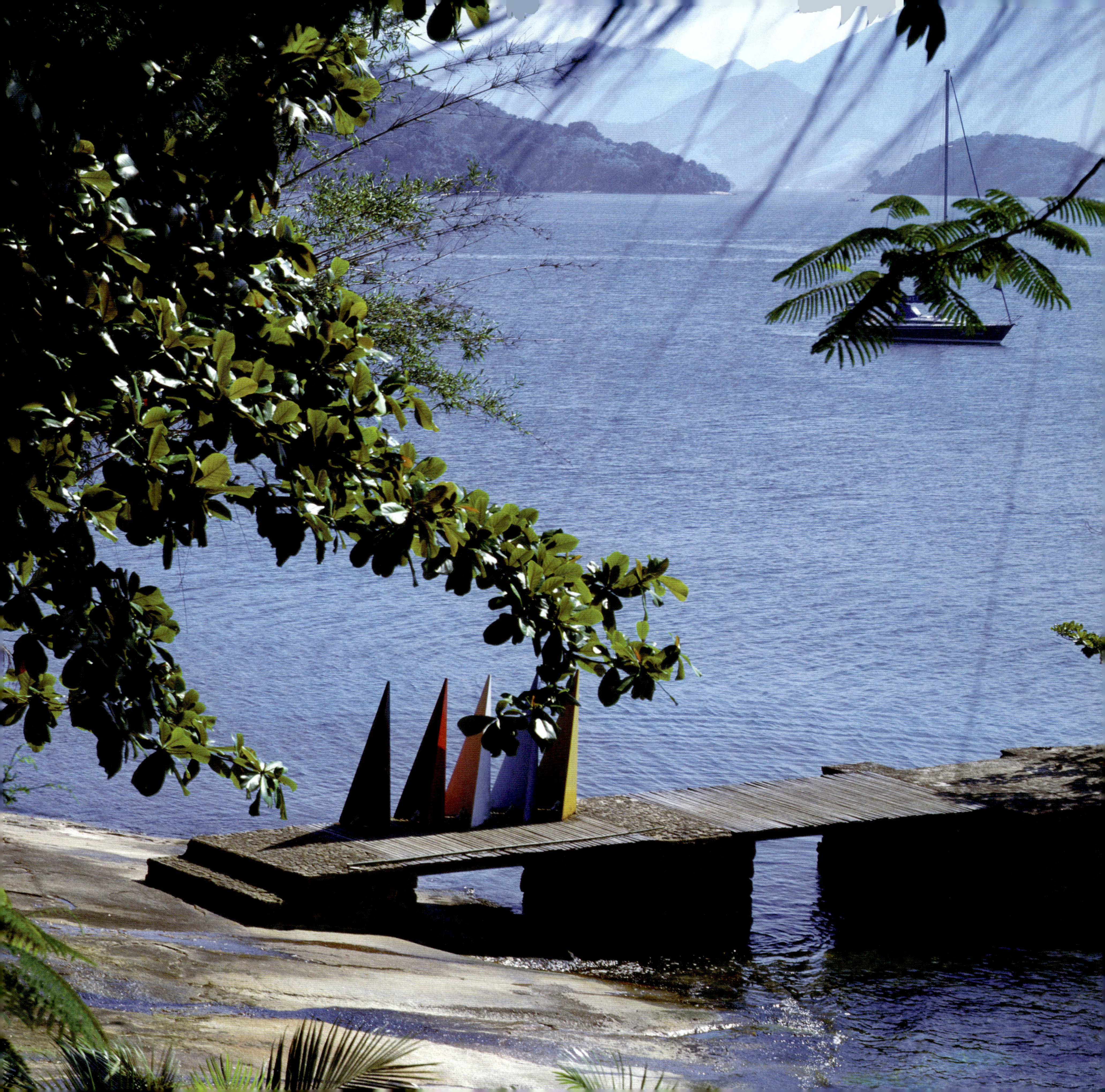

Casa da Maria Farinha 1993
Nestes bangalôs que são módulos dormitórios ao redor de uma grande residência suspendemos o nível da habitação de hóspedes para melhor aproveitar a brisa e a vista do local, como também dar maior privacidade, separando o usuário destas construções dos níveis onde acontecem a circulação das outras pessoas. O uso de bambu, toras de madeira e palha dão um aspecto escultórico à obra, procurando a forma de uma frondosa árvore. O apoio à piscina é uma construção marcada pela discrição, dando liberdade à piscina para assumir formas orgânicas.

O mar e a arquitetura se misturam nas formas e cores. O olhar inicial do arquiteto deve ter a sensibilidade de captar a essência do terreno, distribuindo nele os elementos que compõem o projeto

Em busca de se projetar os espaços dentro de uma concepção moderna, conjugando isso com nossas raízes culturais, conseguem-se soluções técnicas de acabamento. Os amarrados em fibras naturais resolvem o problema dos encaixes da madeira permitindo o uso de cantoneiras em aço inox

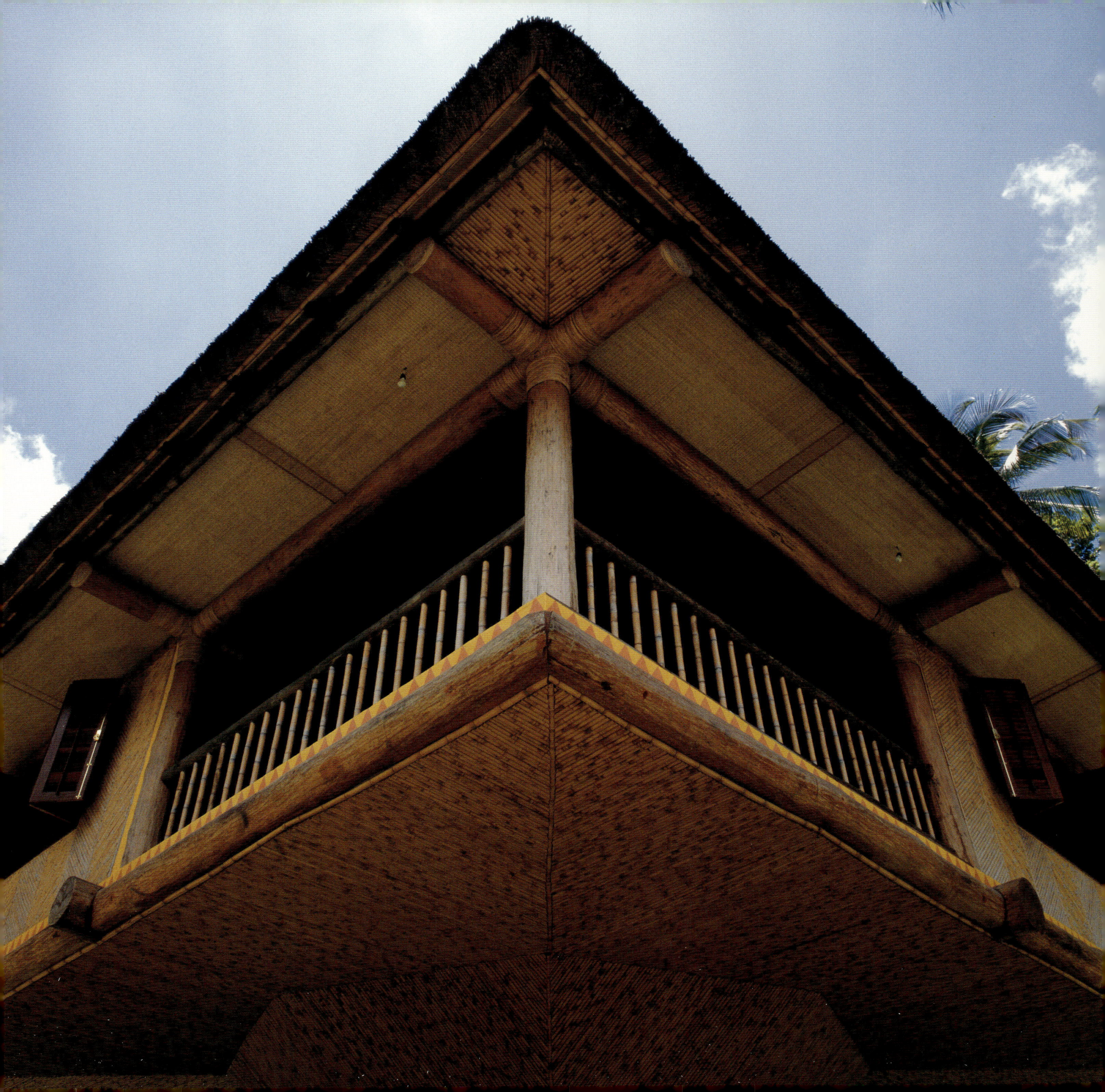

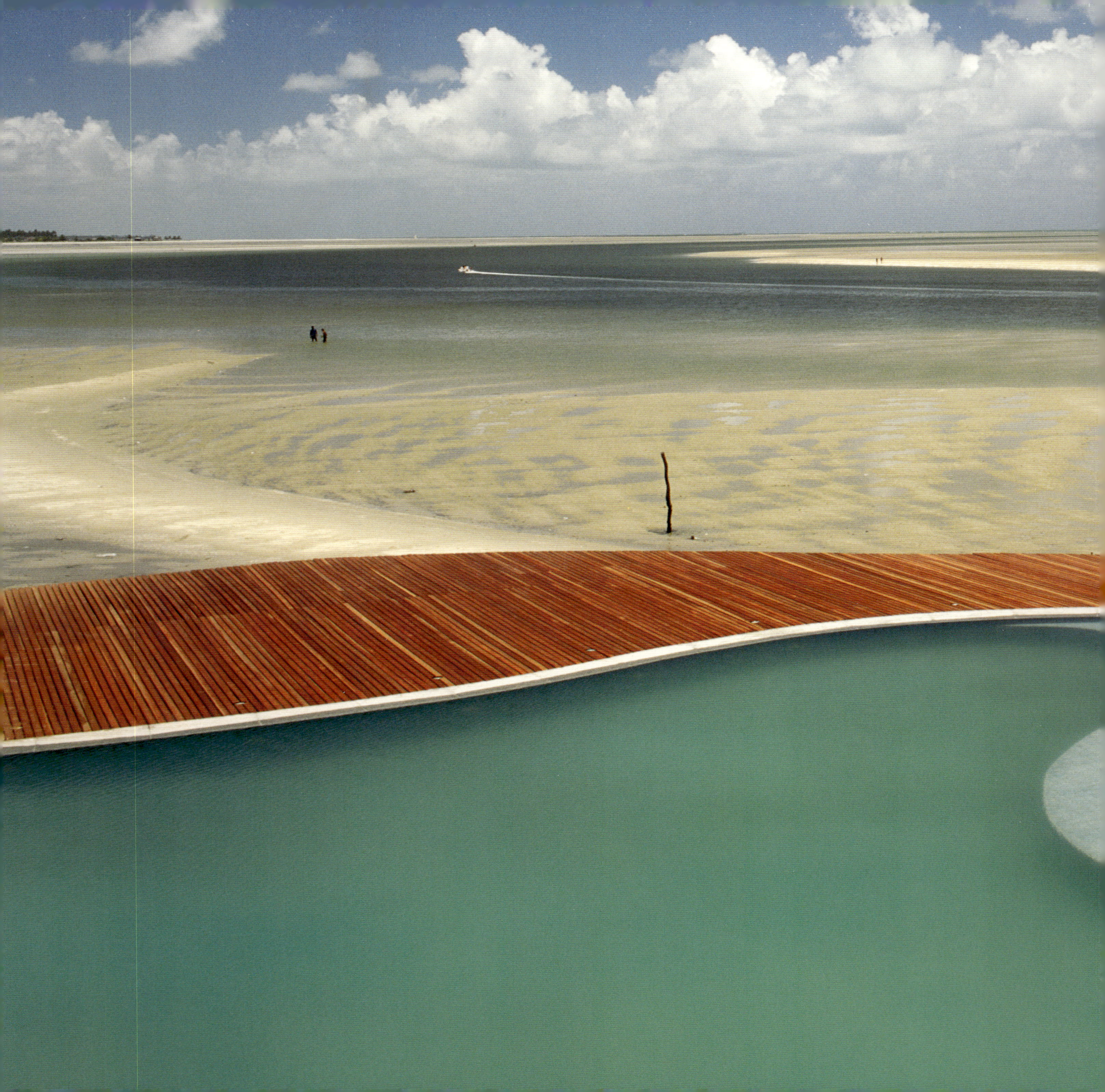

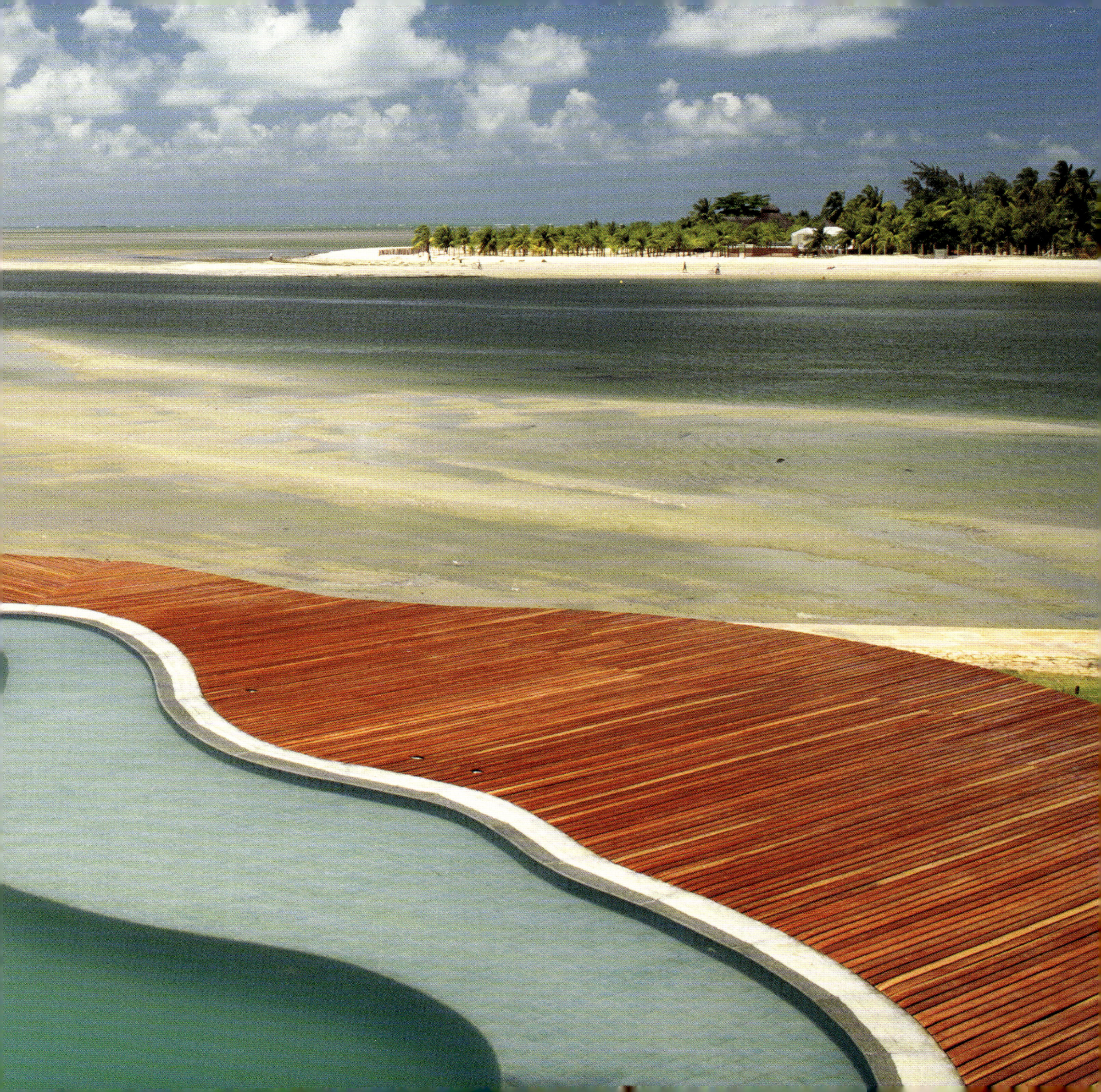

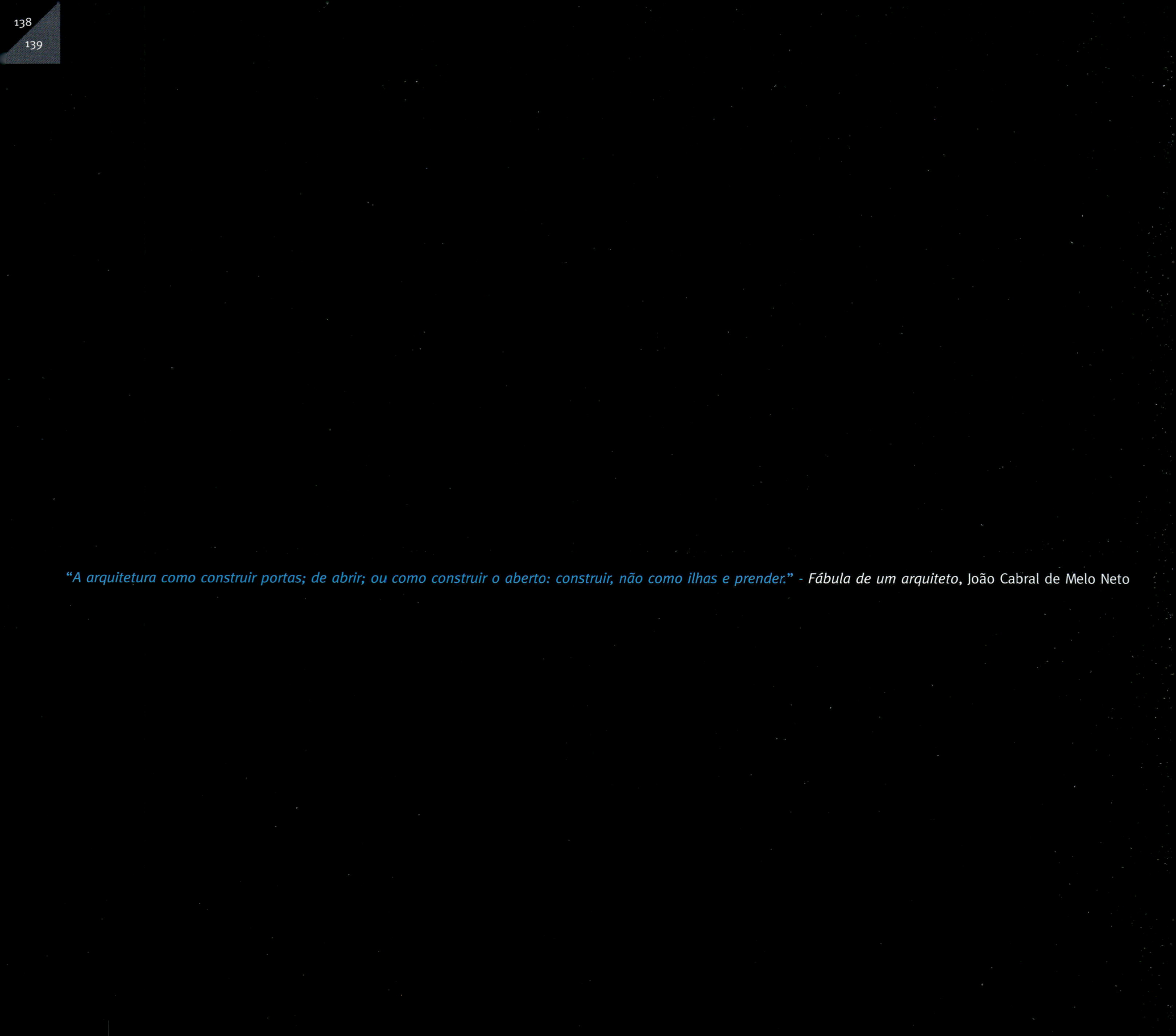

"A arquitetura como construir portas; de abrir; ou como construir o aberto: construir, não como ilhas e prender." - *Fábula de um arquiteto*, João Cabral de Melo Neto

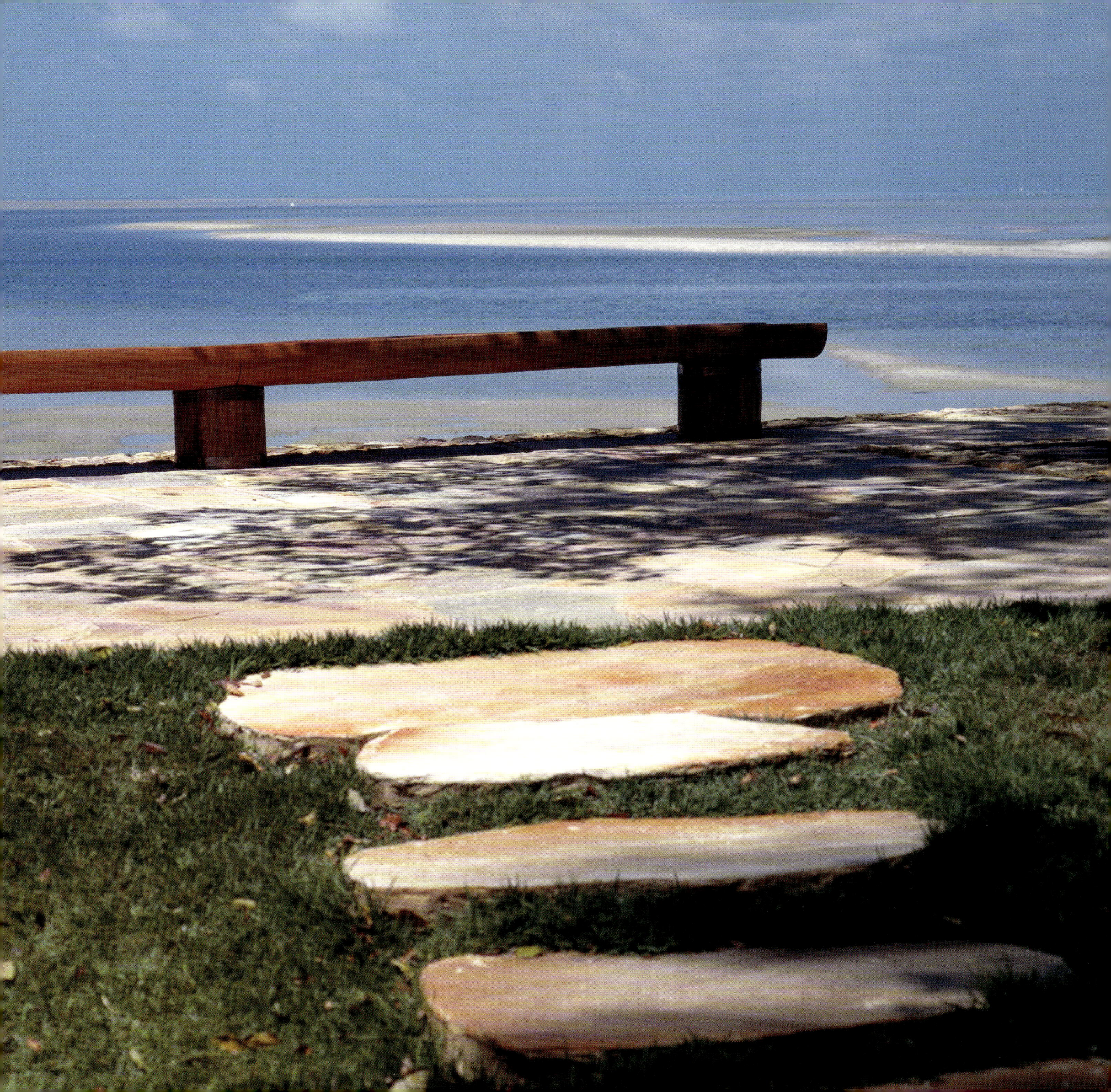

Nesta construção de apoio à piscina, todos os materiais usados se encontram na região. "É como se Robson Crusoé tivesse construído este pavilhão durante anos"

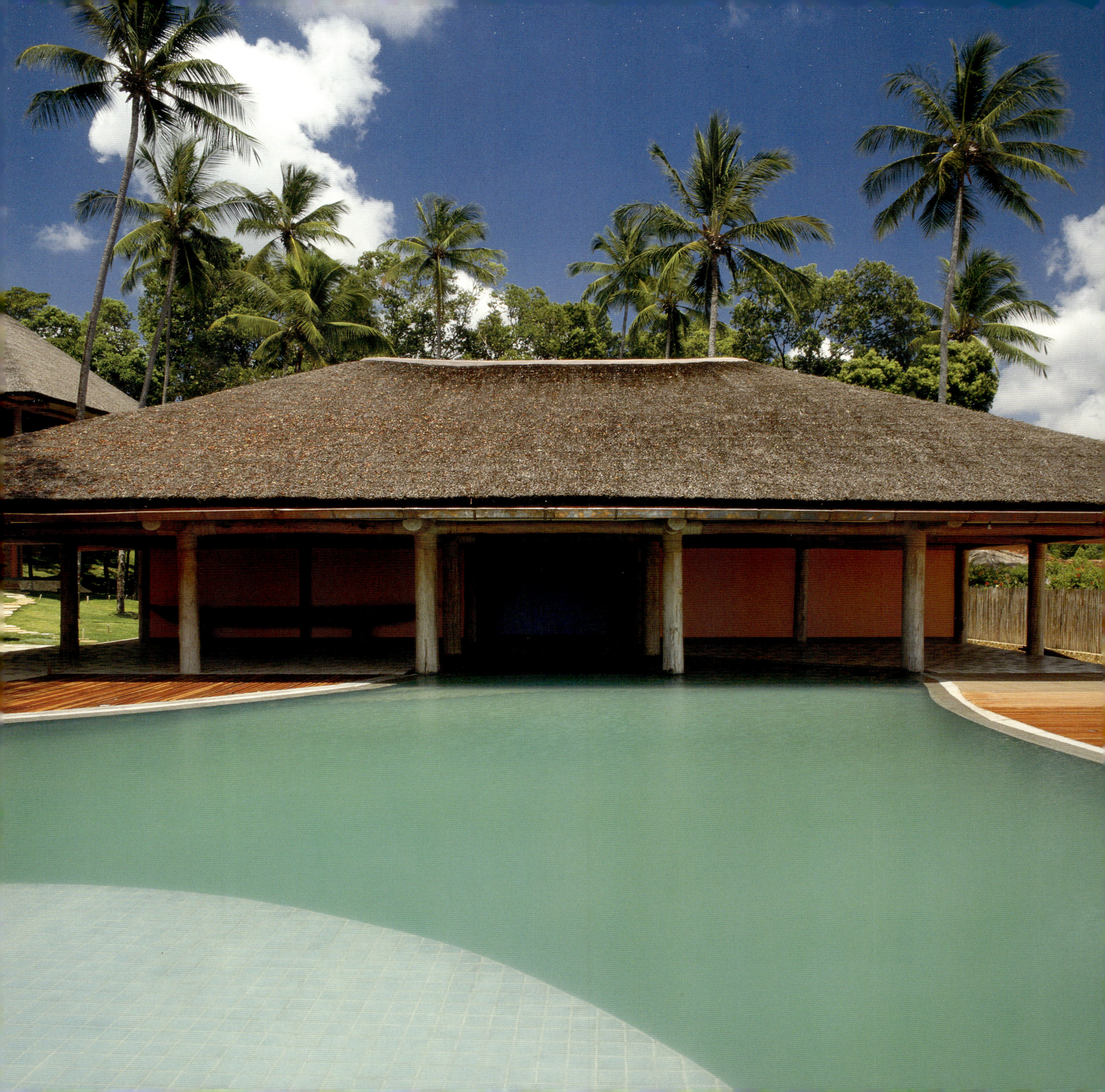

Casa do Canal 1994

A convivência entre a família e os amigos foi a ênfase do programa apresentado pelo cliente. Trazer a piscina para o centro da implantação da construção, além de estimular esta convivência abre uma porta para uma série de efeitos que a água proporciona. Piscina de dia, espelho à noite, ela interage com a casa. Brincamos com isso, usando portas ao invés de janelas para os quartos em que as pessoas pulam direto na água ou nadam sob a estrutura de pedra e madeira.

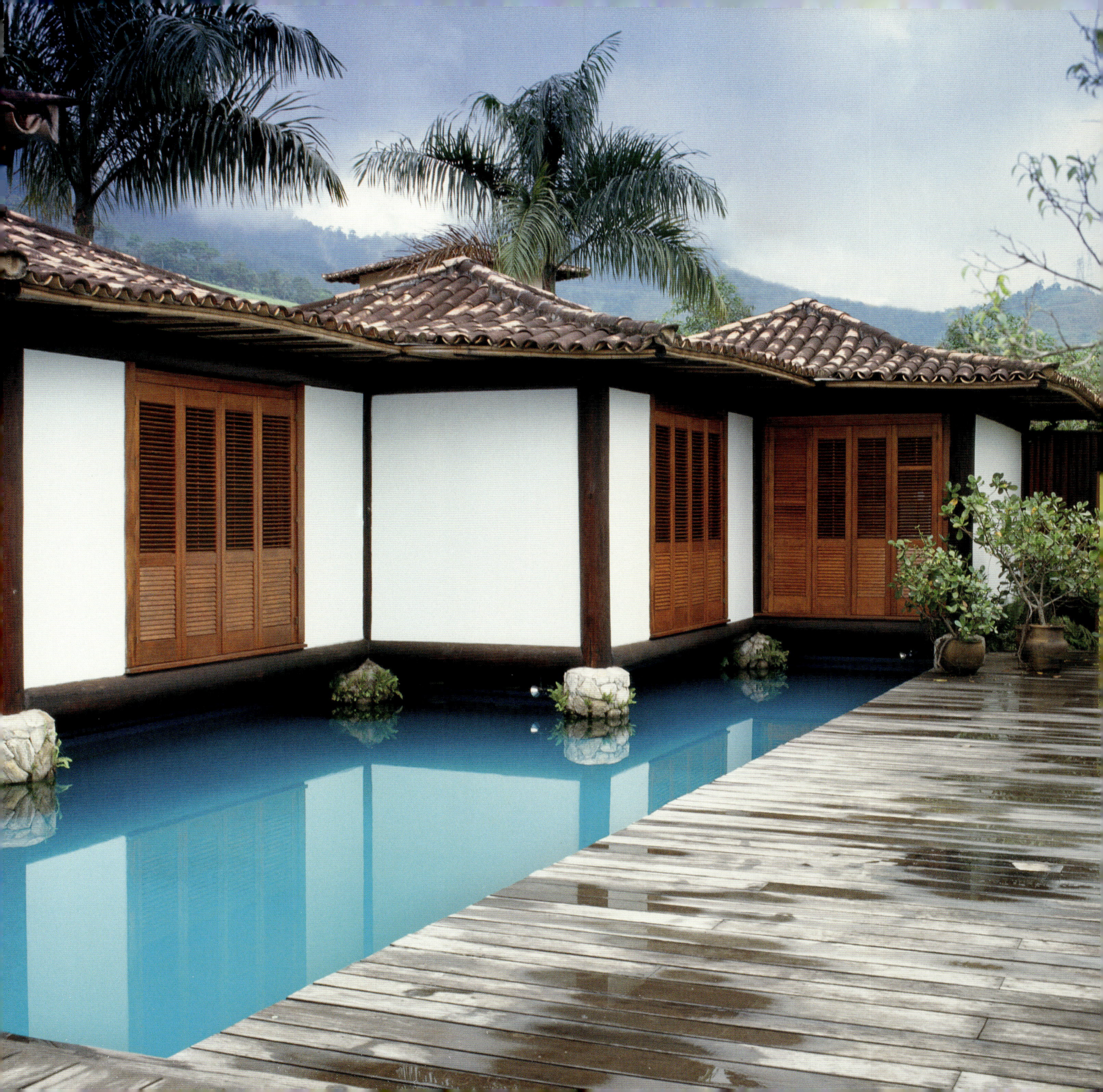

As circulações internas da casa são jardins pergolados. A casa se desenvolve em um único plano, com a piscina sendo usada como um elemento cênico

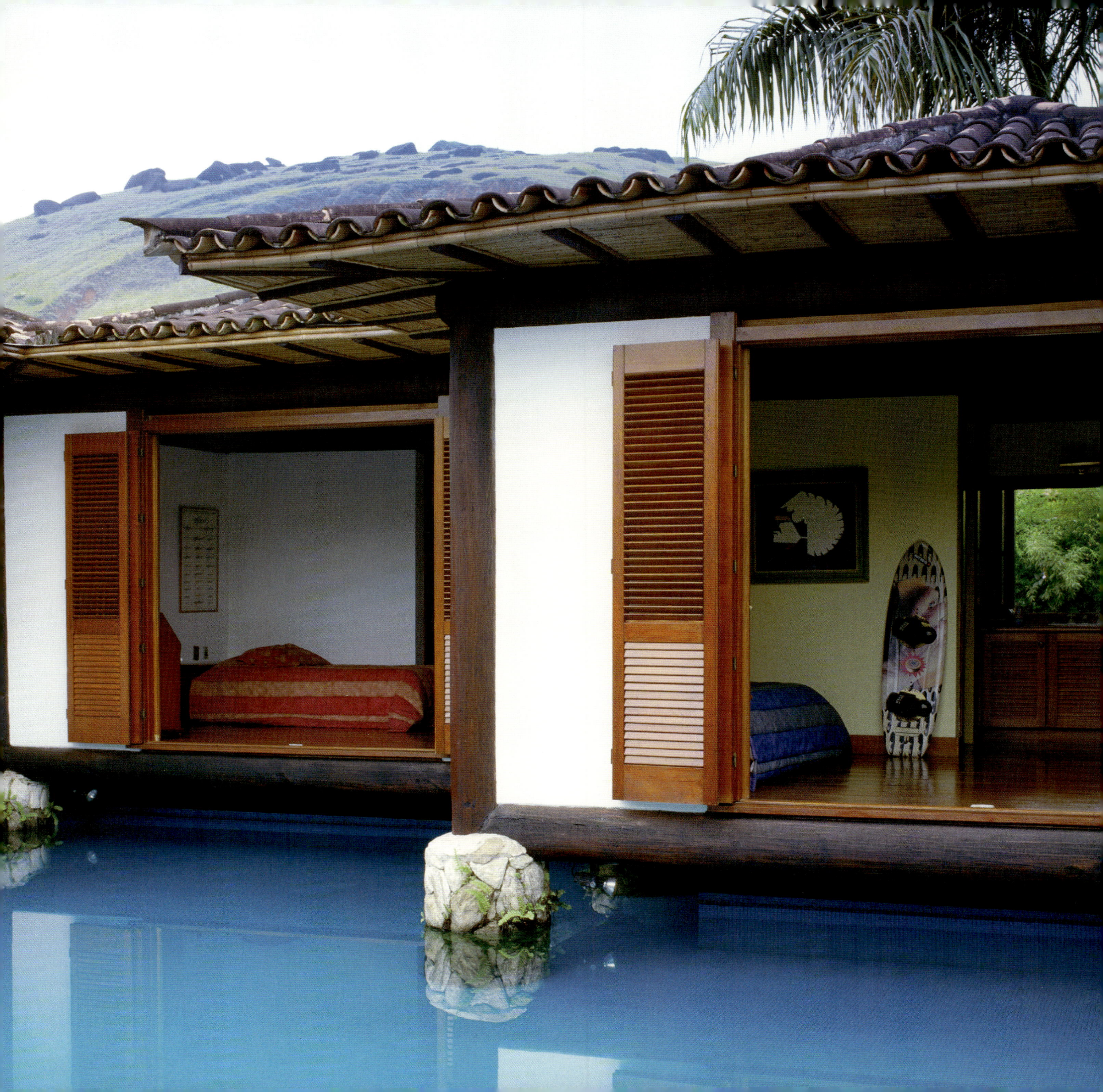

Casa da Luz 1995

Uma casa sobre o mar, em que buscamos transparências e reflexos que encontramos na água. O domus central em forma de olho feito em fibra de vidro domina o pavilhão principal no qual criamos uma ponte ligando os dois apartamentos de hóspedes. Estas circulações suspensas acontecem em outros trabalhos, integrando os espaços e proporcionando ao observador um insigh da planta baixa. Foi um dos poucos trabalhos em que começamos pela forma. O desenho da cobertura prevaleceu neste projeto, perseguindo e complicando todas as soluções construtivas.

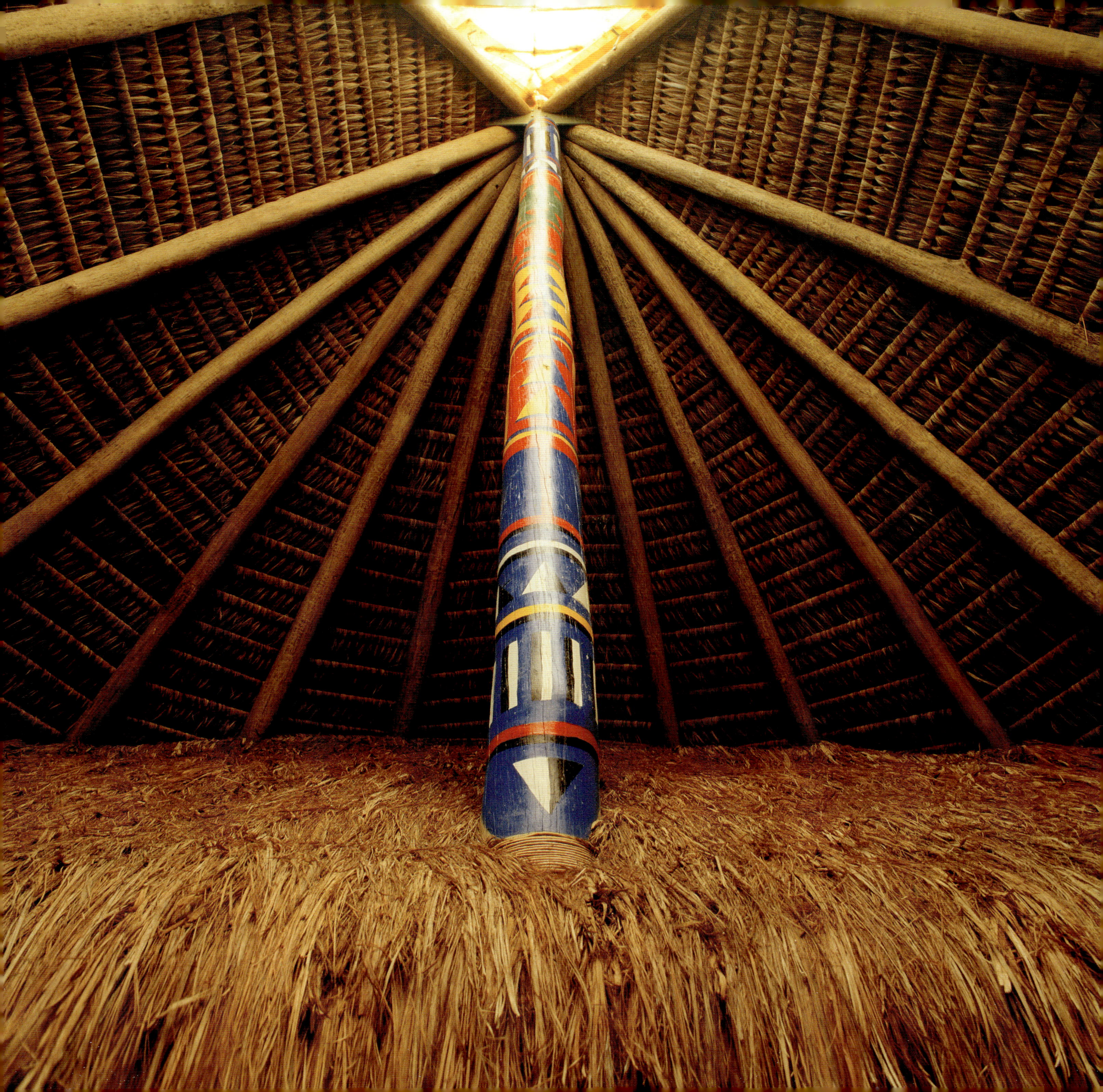

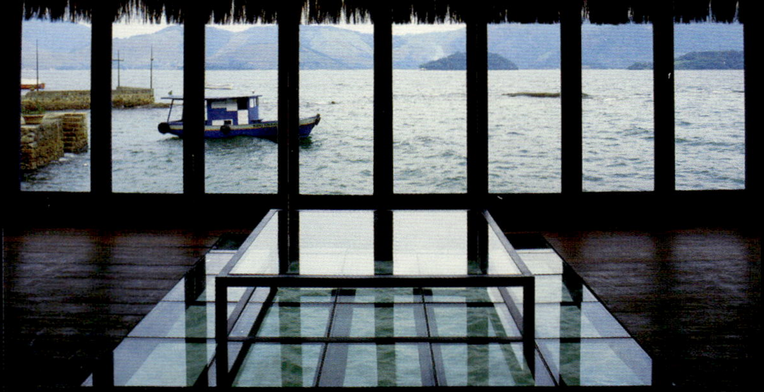

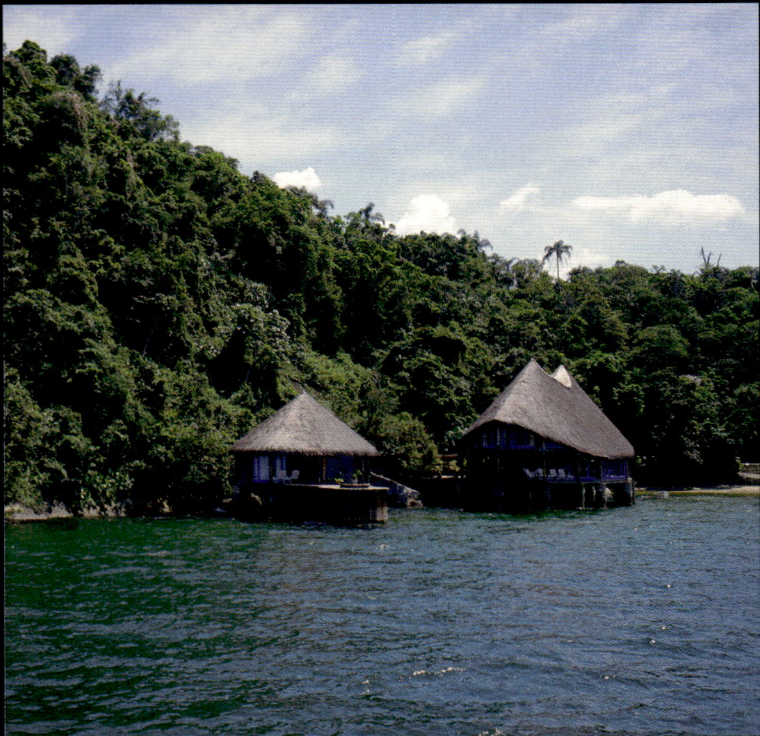

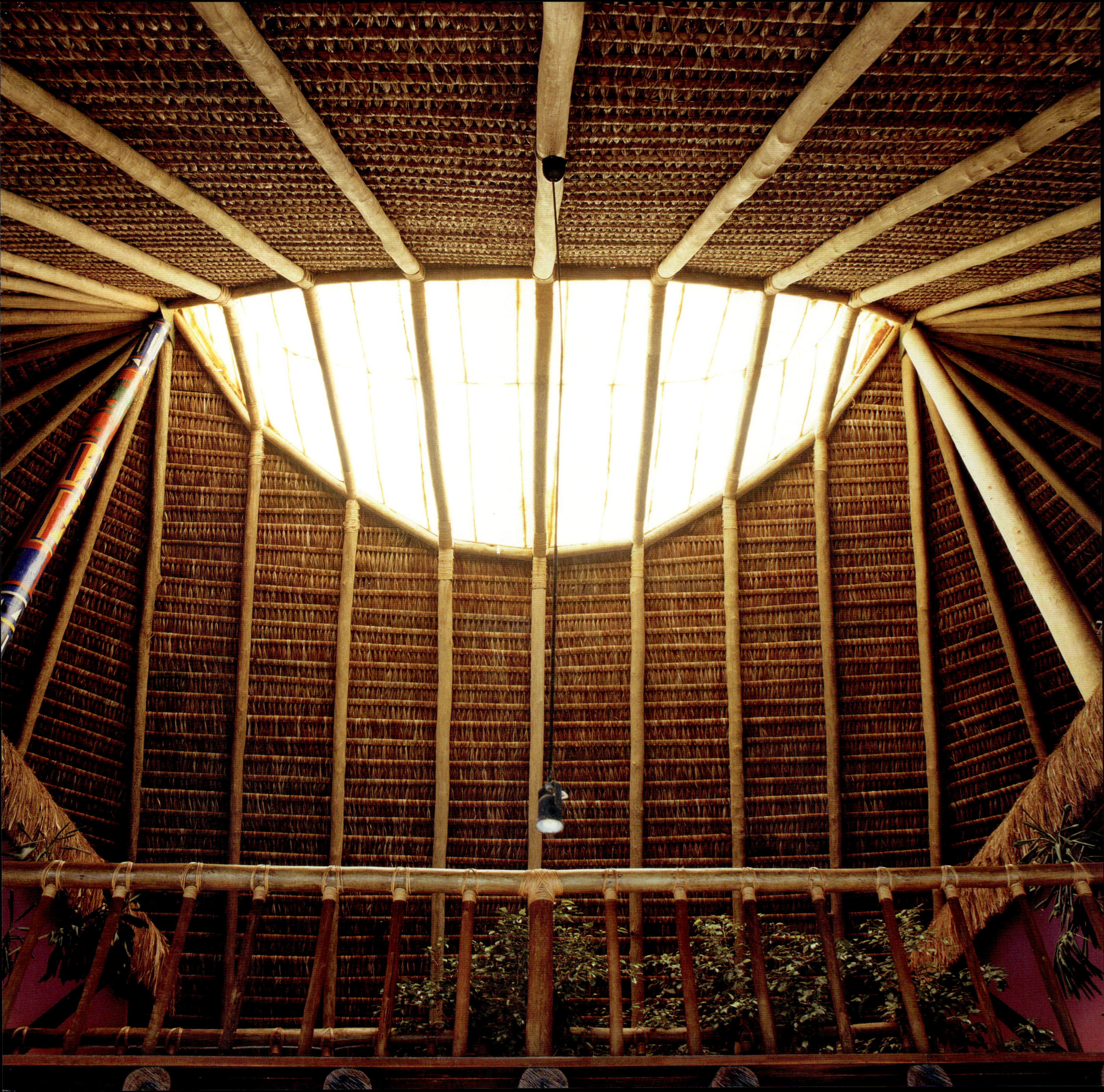

Casa do Cavaco 1996 *Este pavilhão da piscina é o início de uma intervenção na ilha do Cavaco compreendendo, além desta construção, a casa principal, piscina, apoio náutico, além do projeto de urbanismo. É uma grande sombra em piaçava que se desenvolve em torno de um mastro central, em que se varia a altura dos caibros formando quase um caracol. A perspectiva interna nos surpreendeu pela leveza de movimento. Um verdadeiro presente que a arquitetura, às vezes, nos proporciona.*

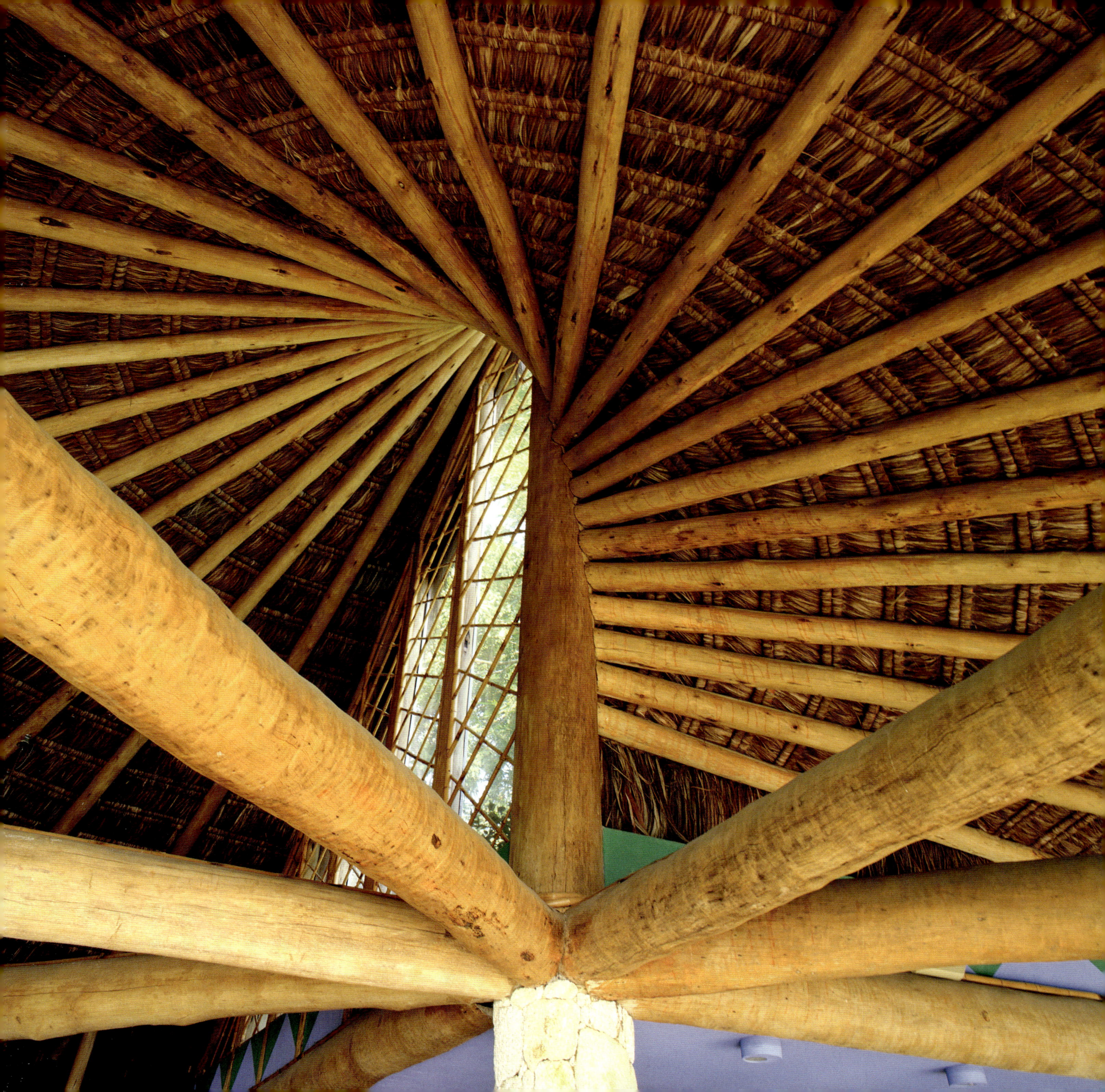

Do mastro central revestido em pedra da região, se irradia toda a estrutura da construção. Uma grande mesa funciona como bar, sob uma laje pintada com motivos e cores do local

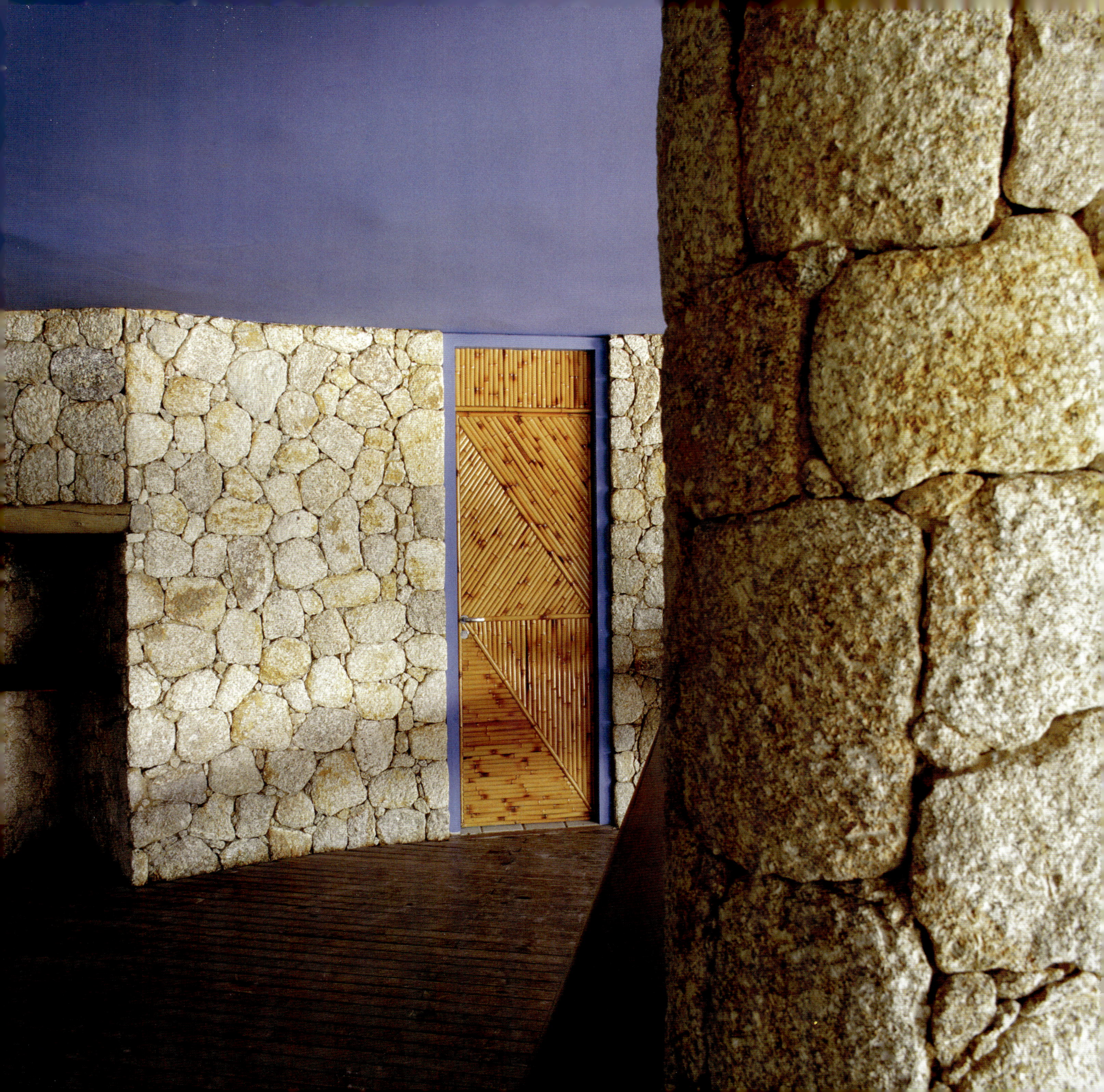

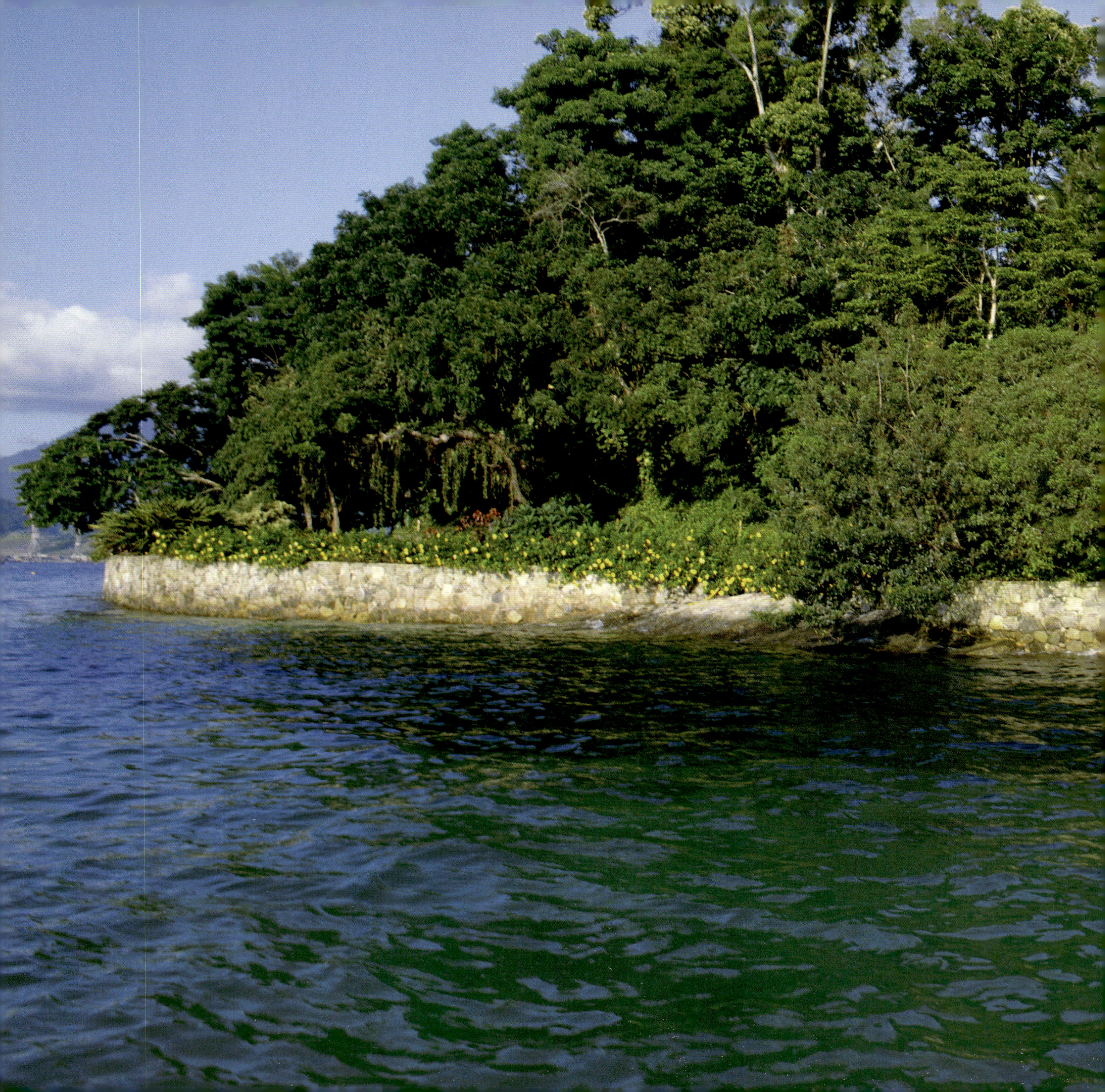

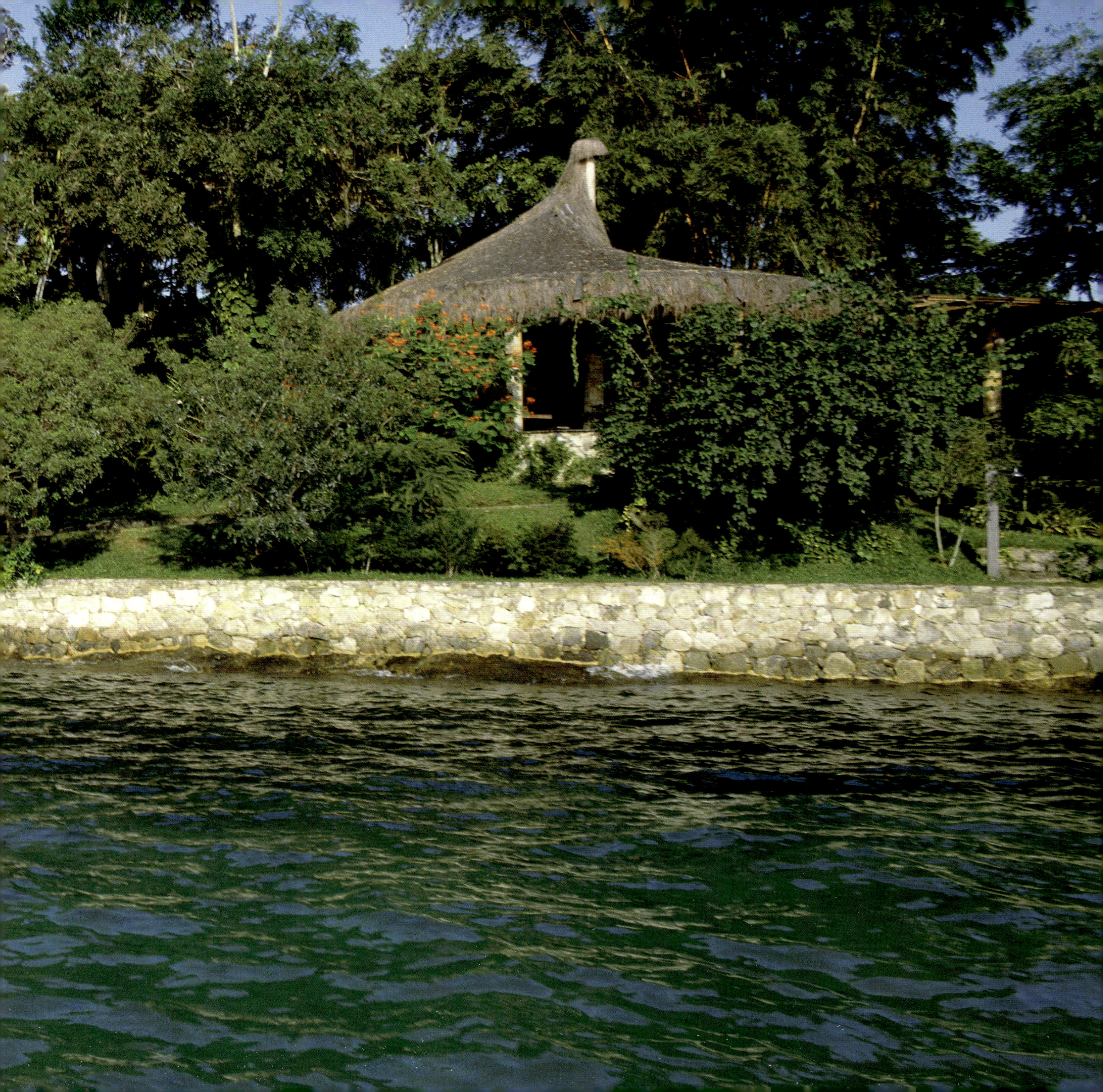

Casa do Portogalo 1996

Em Portogalo, um programa extenso, demandando muitos metros quadrados, nos fez pensar numa casa revestida de bambus, se misturando com o jardim. O resultado, as linhas verticais formadas pelo material usado, proporcionou um mergulho na questão gráfica das fachadas na arquitetura. Com a ajuda de Mario Fraga, amigo e parceiro, as vigas metálicas da estrutura se transformaram em elementos complementares do revestimento em bambu.

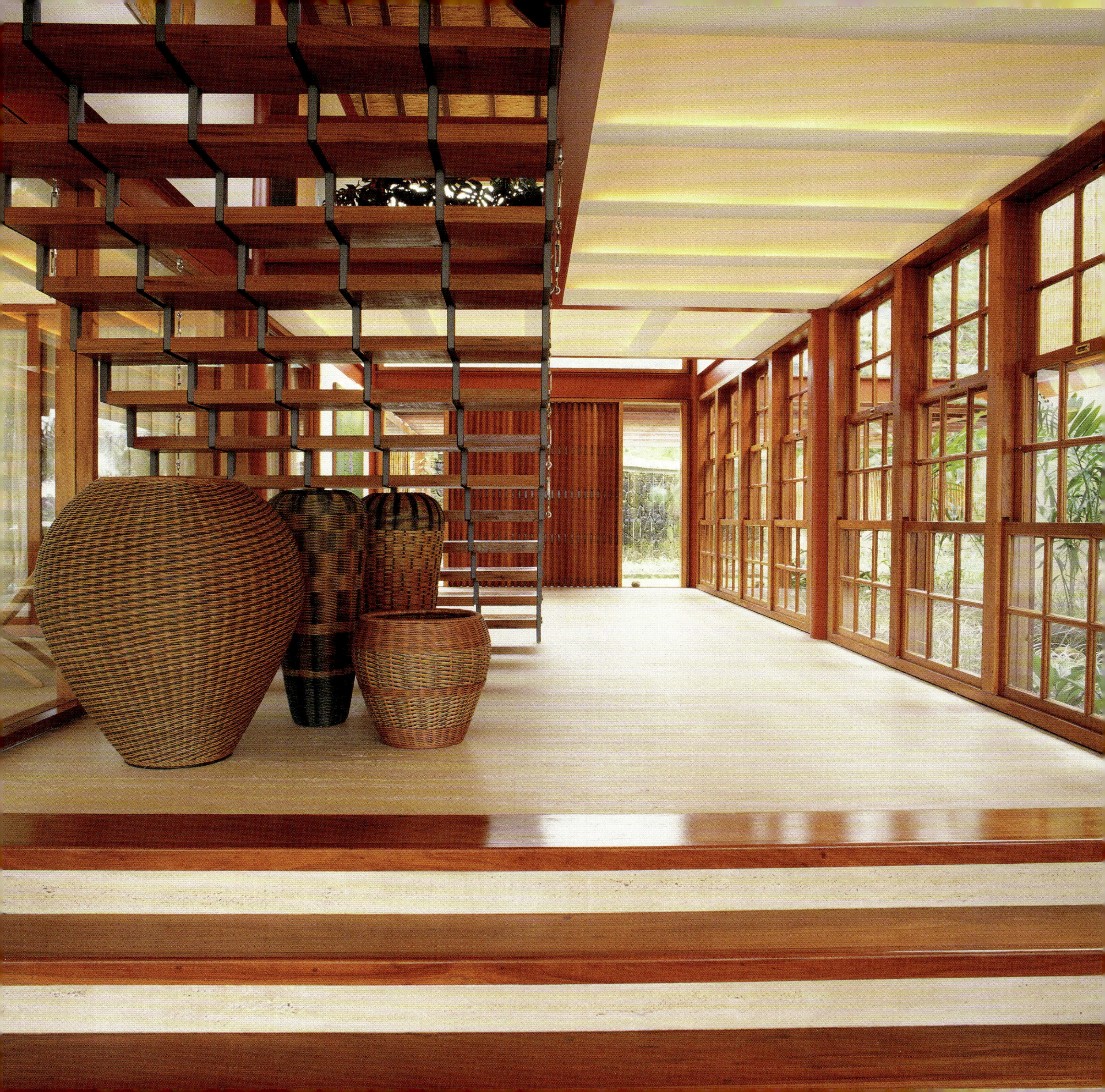

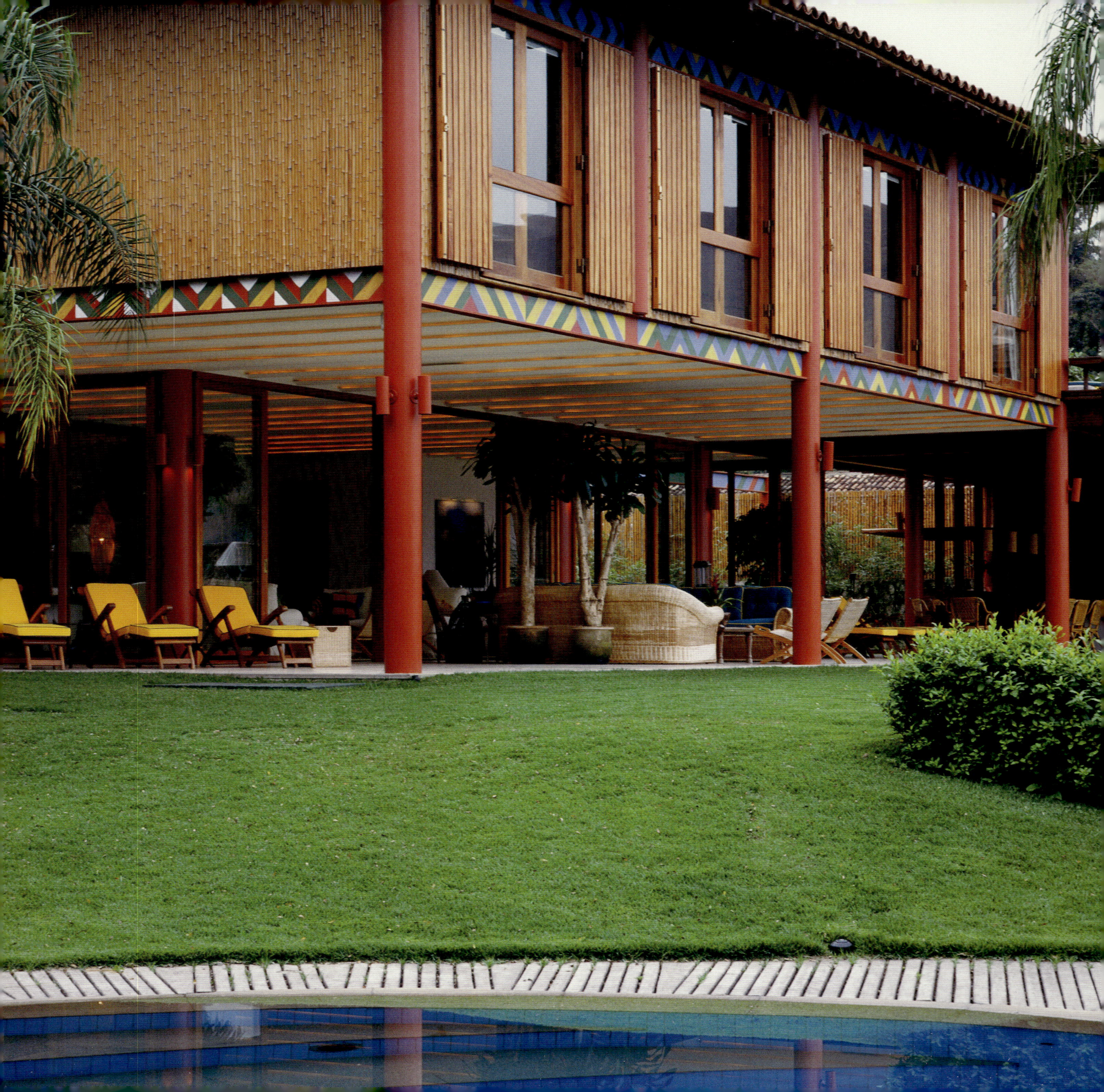

A casa é suspensa permitindo que a circulação da brisa do mar ventile as salas. Nos quartos suspensos, grandes esquadrias de guilhotina deixam os vãos abertos.

Os efeitos gráficos dos bambus foram aproveitados nas pinturas das vigas com espírito étnico

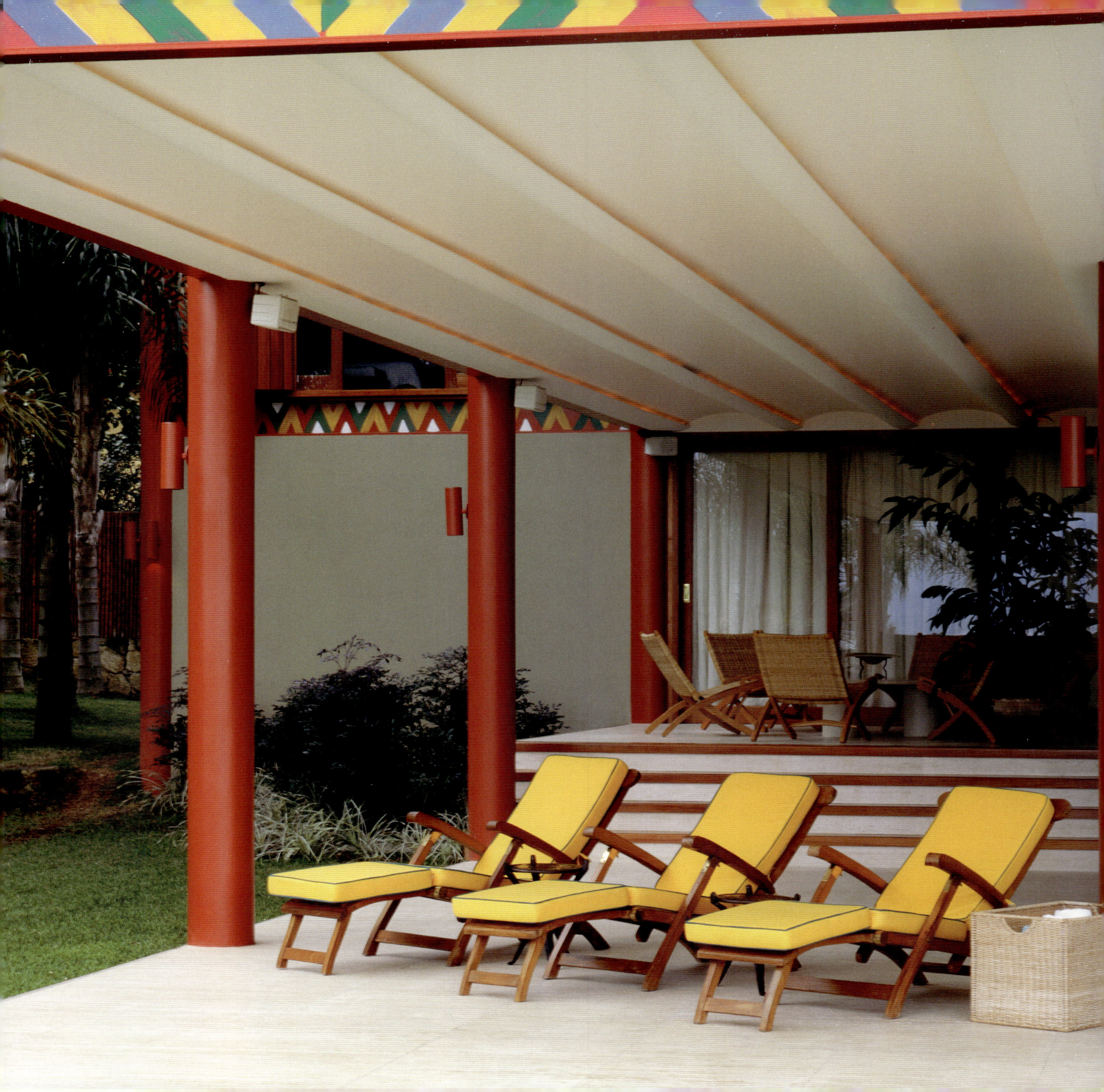

Cabana da ilha das Palmeiras 1997 *Feita para uma pessoa que necessita de isolamento e concentração no trabalho. Estes momentos de solidão são alternados com épocas festivas, de convivência, como um ciclo verão-inverno. A arquitetura tenta cumprir esta missão através de seus espaços amplos e transparentes.*

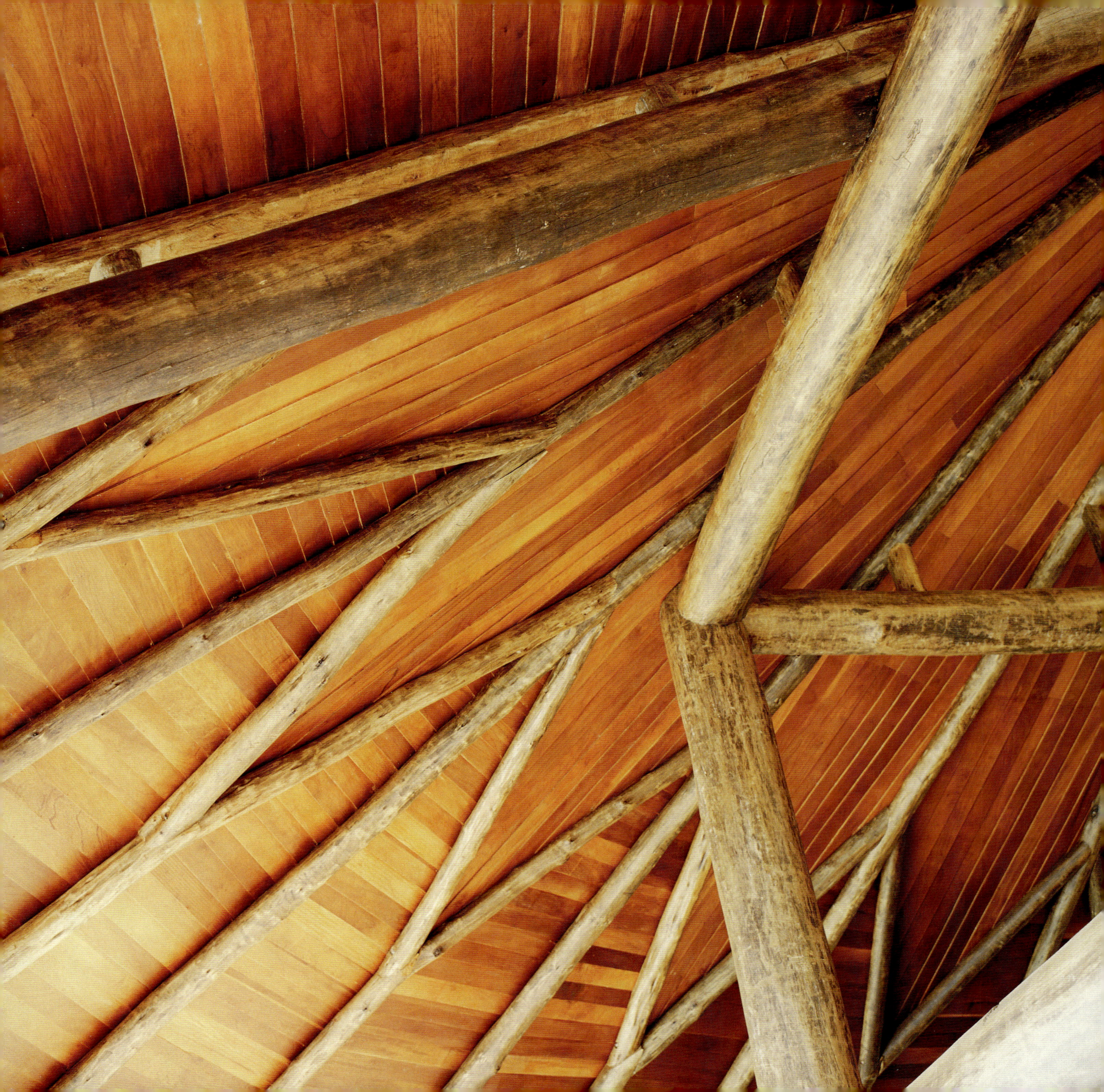

O telhado oval em taubilha, bancos da varanda como uma canoa e muitos outros usos e texturas, sempre trabalhando a madeira

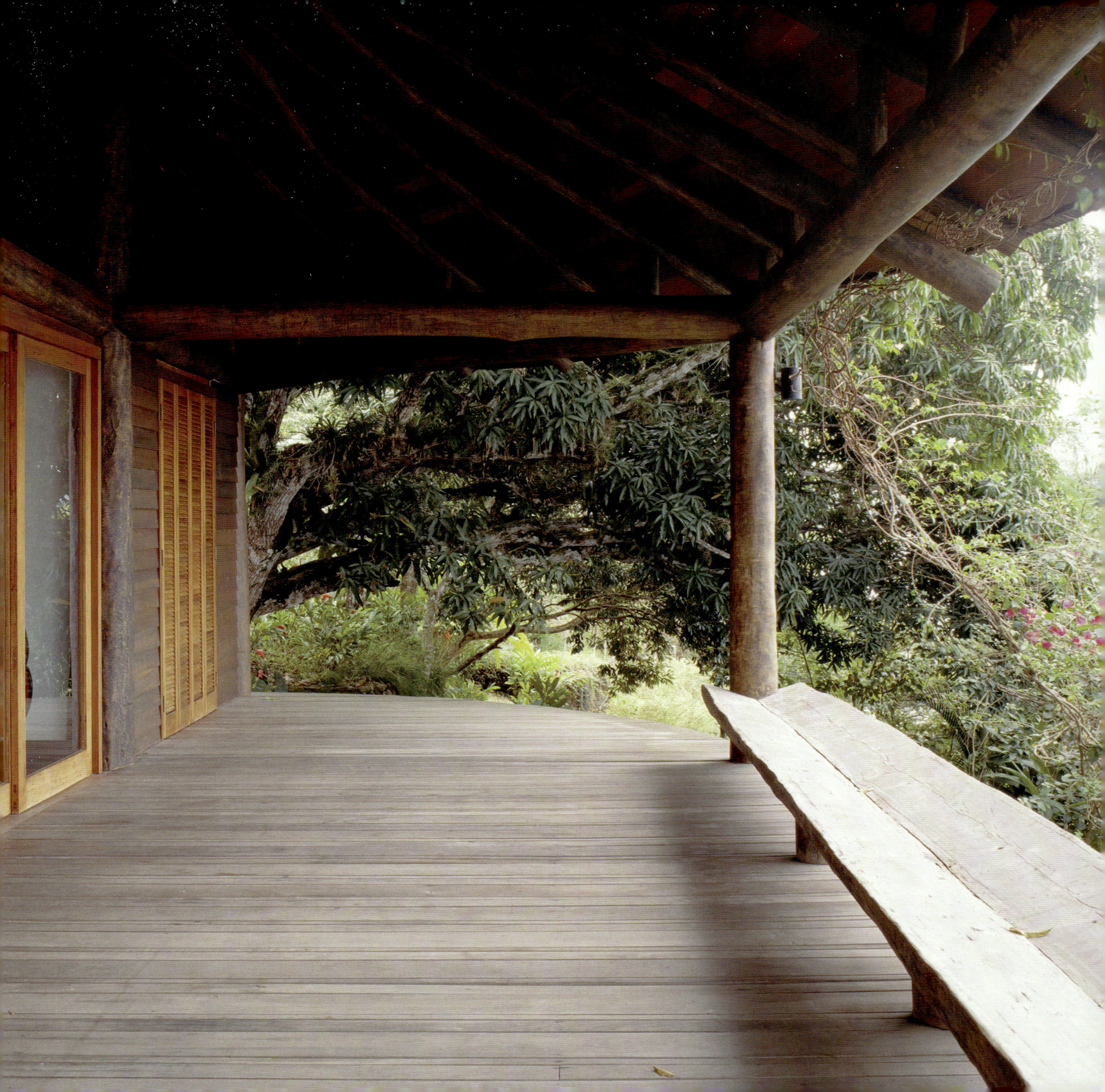

A piscina em pedra se funde com o mar

Casa do Moitão 1997 *Casa de ilha, onde se criou um pórtico para a chegada pelo mar. Procurou-se soltar a casa do terreno, através de colunas de pedras-de-mão da região, formando pilotis. O uso de toras de madeira reciclada, palha e esquadrias em veneziana de madeira dão à construção uma linha oriental existente muitas vezes em nossos trabalhos.*

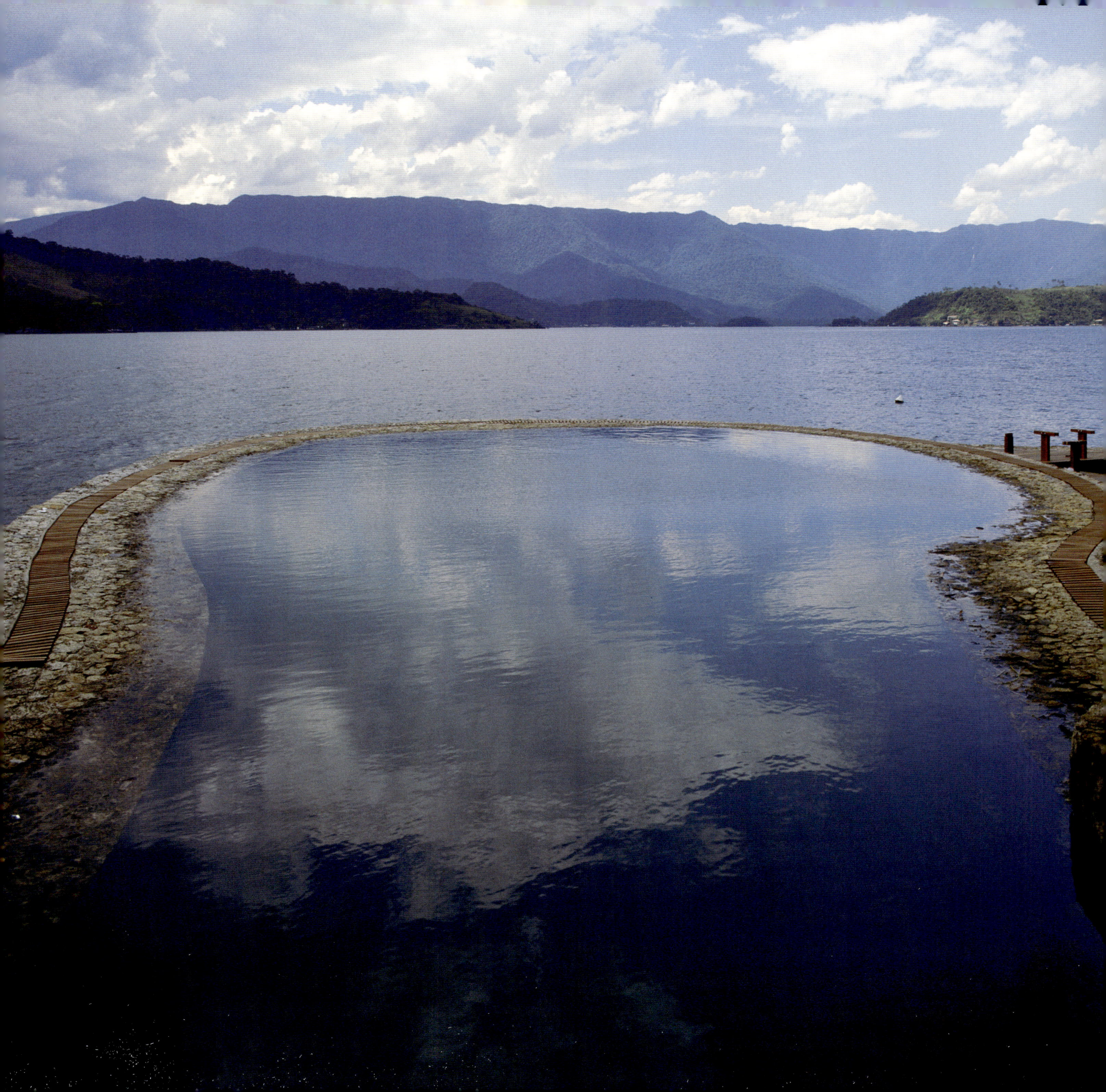

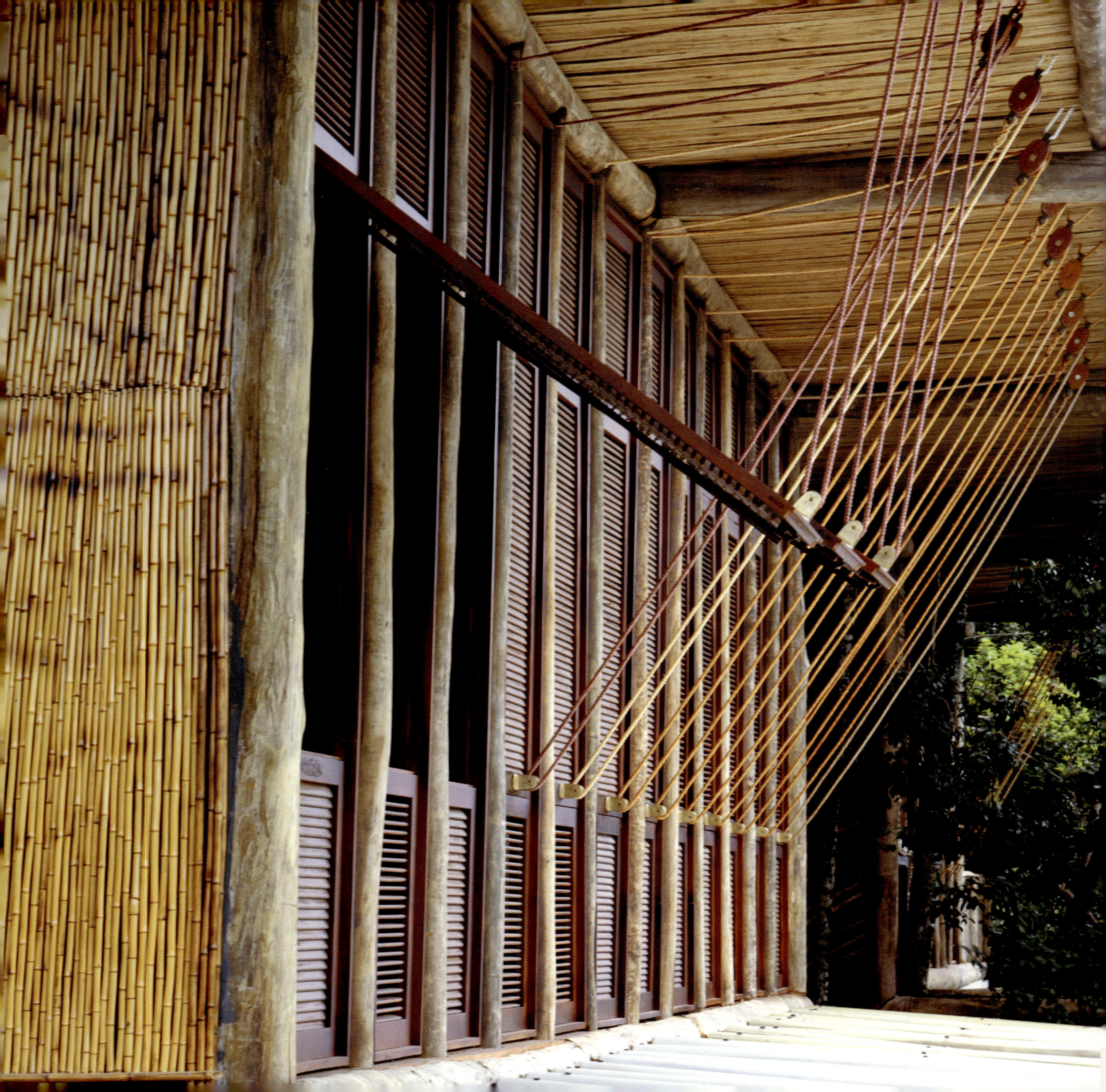

A filosofia construtiva desta casa é privilegiar o encontro do tradicional com o inovador

As esquadrias se elevam com graça e movimento e, abertas, formam uma superfície de proteção contra o sol criando um efeito rítmico

Cabana da Comprida 1997 *Neste trabalho em uma ilha procuramos usar elementos de uma primitiva memória do homem, como a madeira roliça super dimensionada e bruta, o telhado como símbolo de abrigo em palha com grande inclinação e grandes beirais. Achamos que isso funciona como um hiato na vida das pessoas, uma pausa para a lembrança de suas origens, proporcionando uma quebra no ritmo de suas vidas. Nas casas de lazer, a missão da arquitetura é mais poética, subjetiva.*

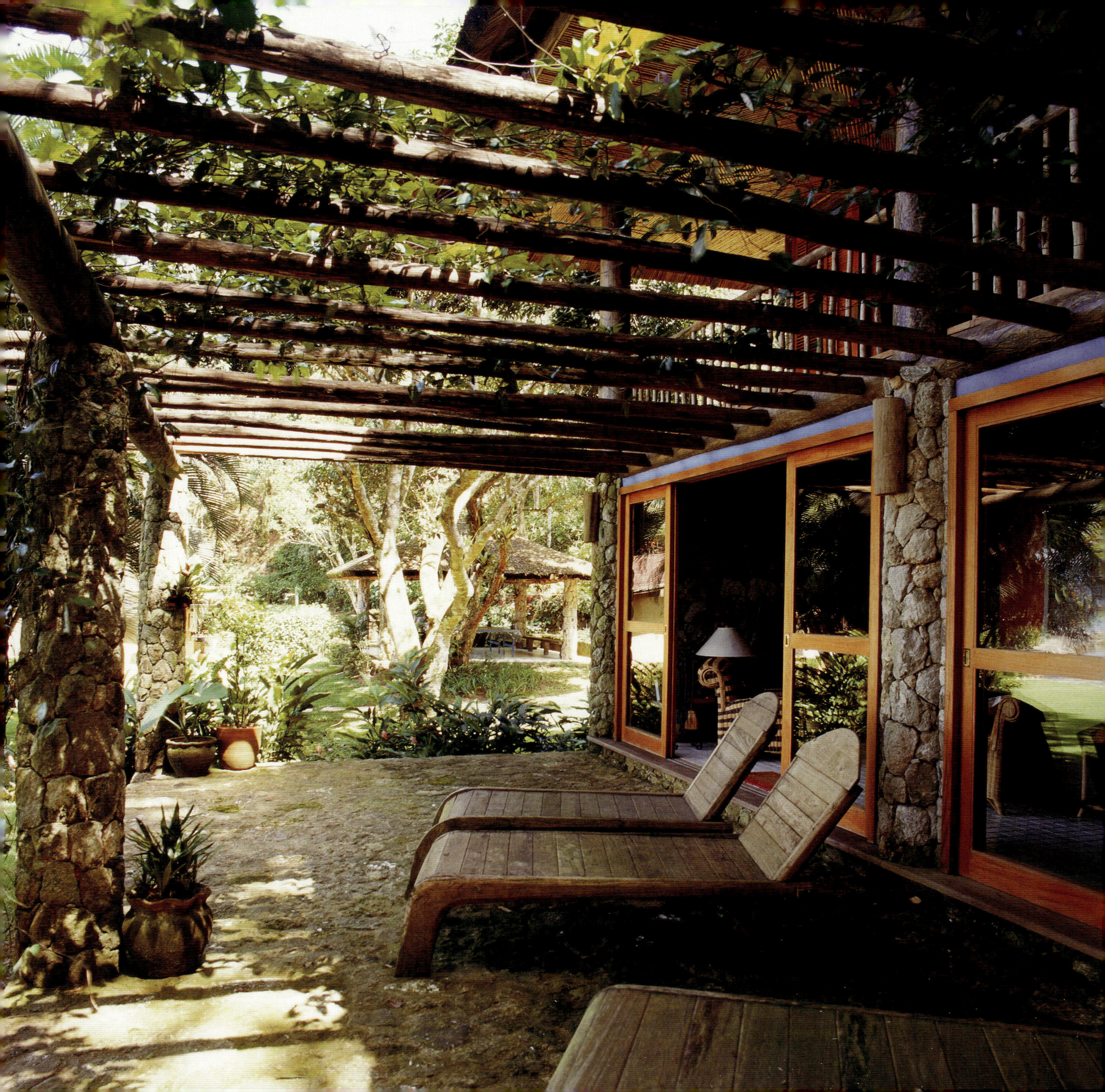

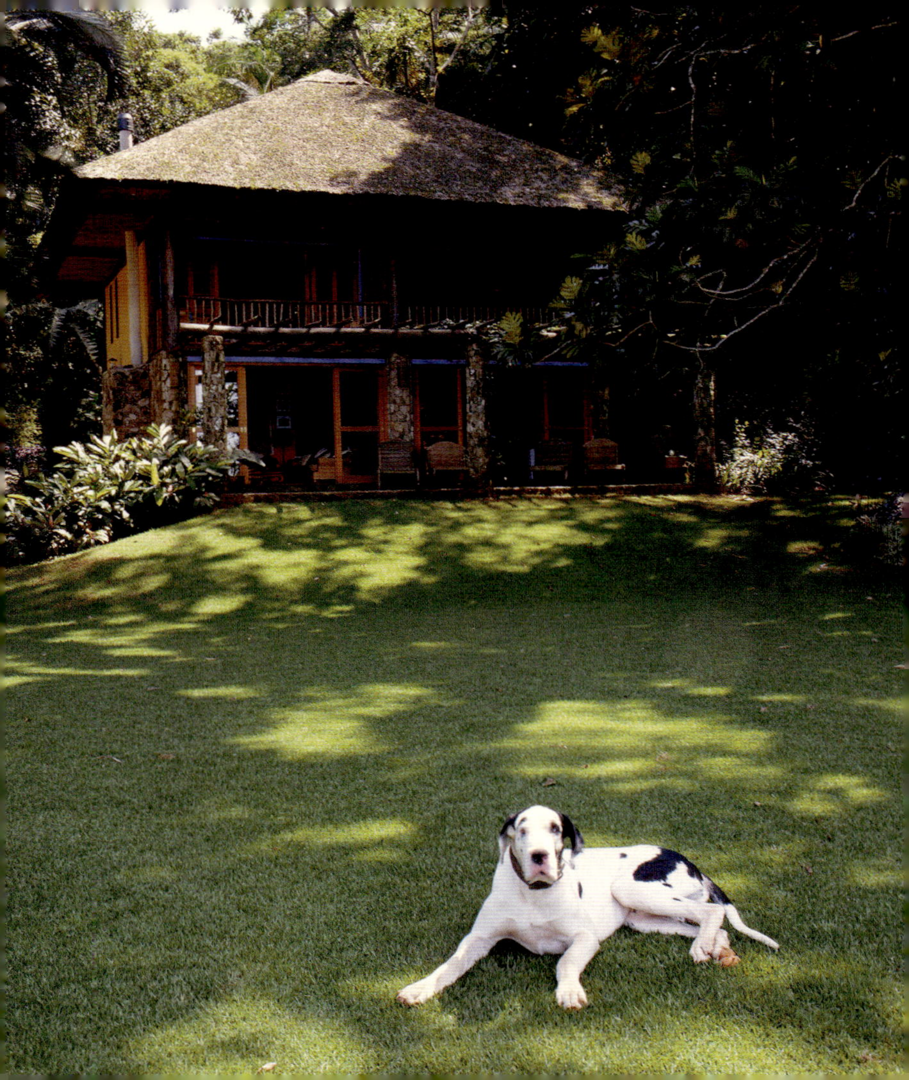

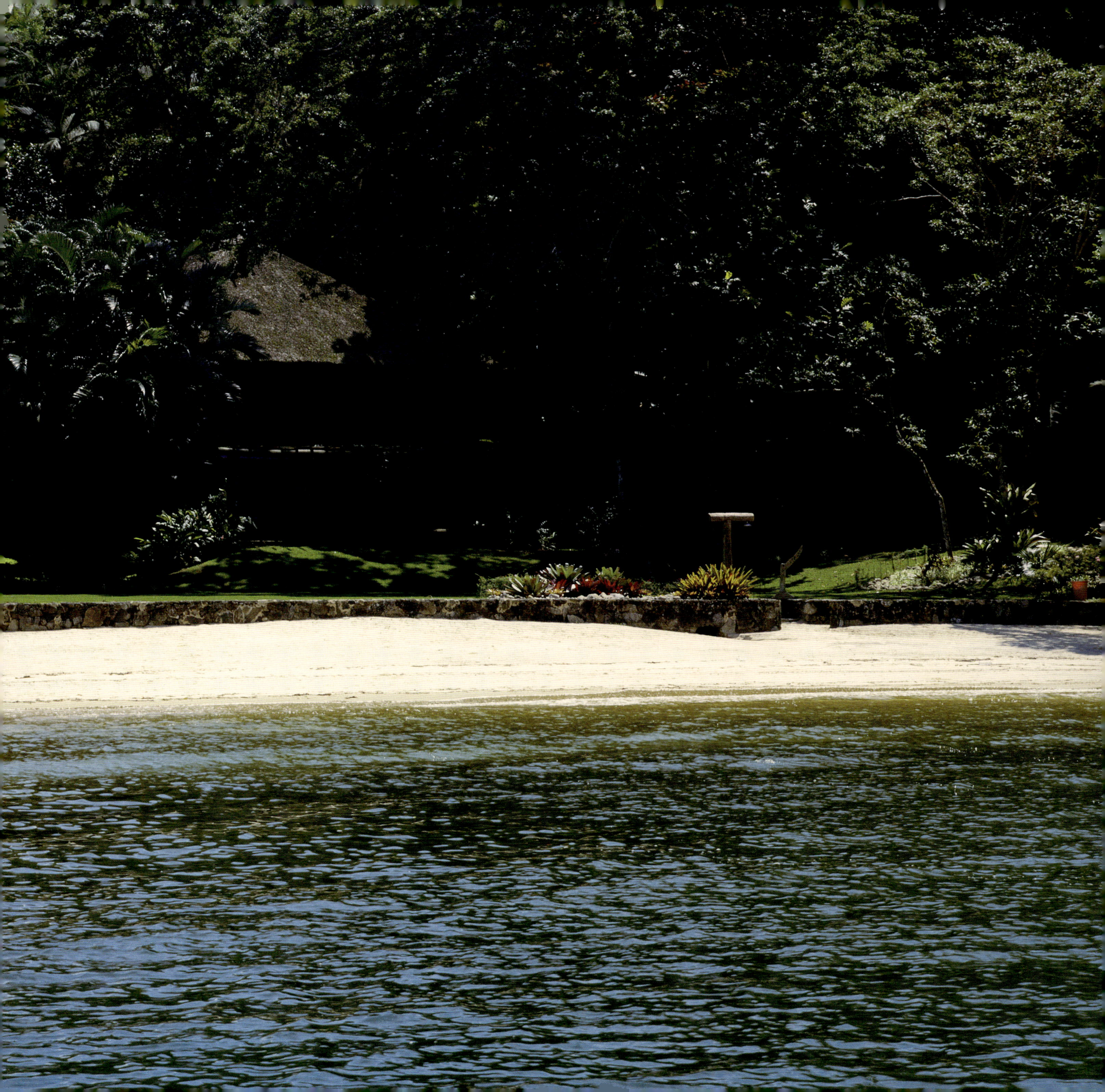

Fazenda da Gipóia 1998 *Projeto para se revitalizar uma grande propriedade composta de uma casa principal, sede de uma antiga fazenda, bangalôs para hóspedes e um pavilhão de piscina. O projeto partiu para uma linha moderna, redesenhando o interior da casa principal através da mudança dos materiais de acabamento, uso de cores, móveis e obras de arte contemporâneas. Essa mudança no interior das construções existentes foi o link que permitiu que se ousasse no desenho do novo pavilhão da piscina, uma arquitetura horizontal extremamente limpa estruturada em ferro e feita para suportar um jardim em sua cobertura.*

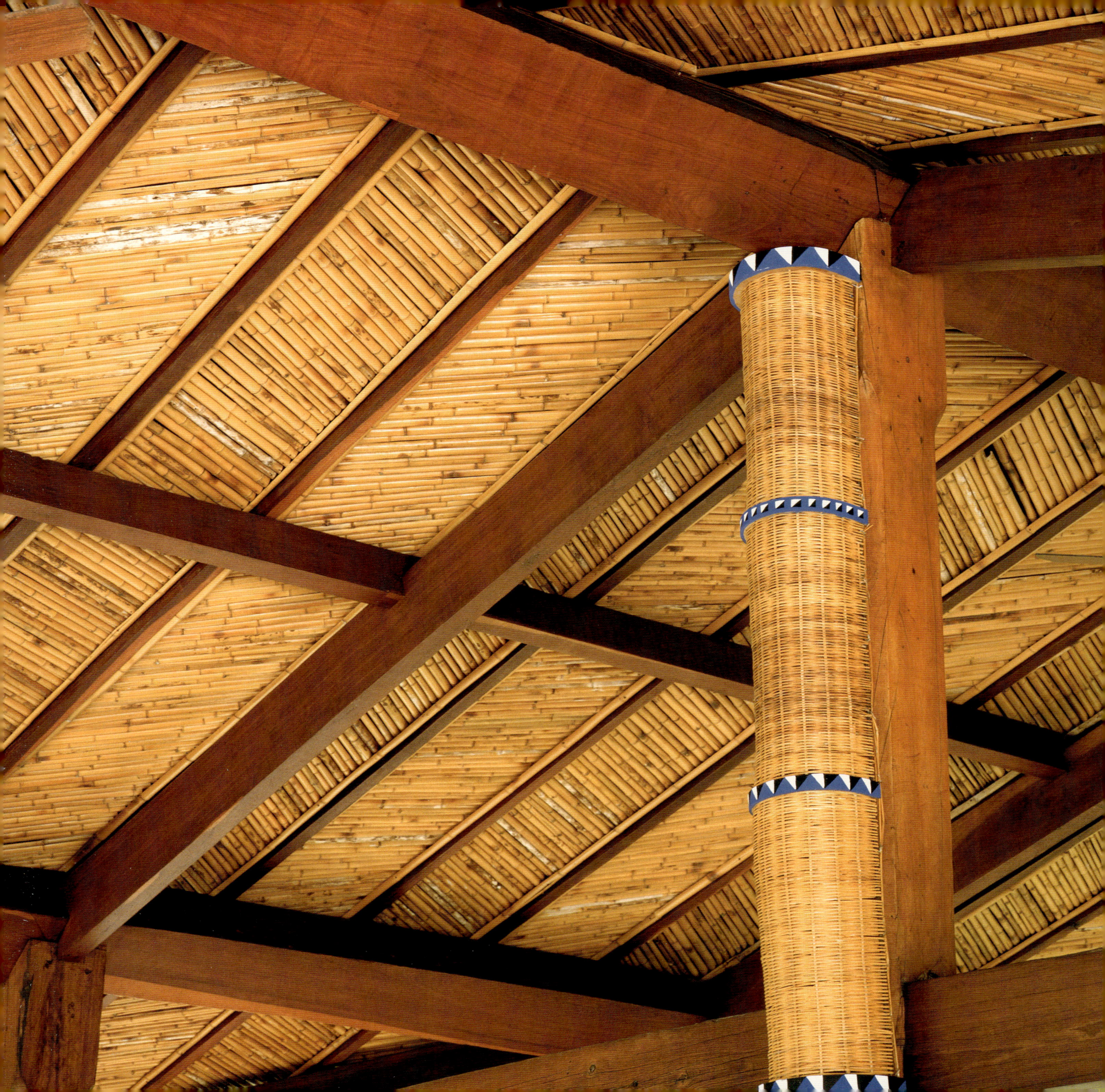

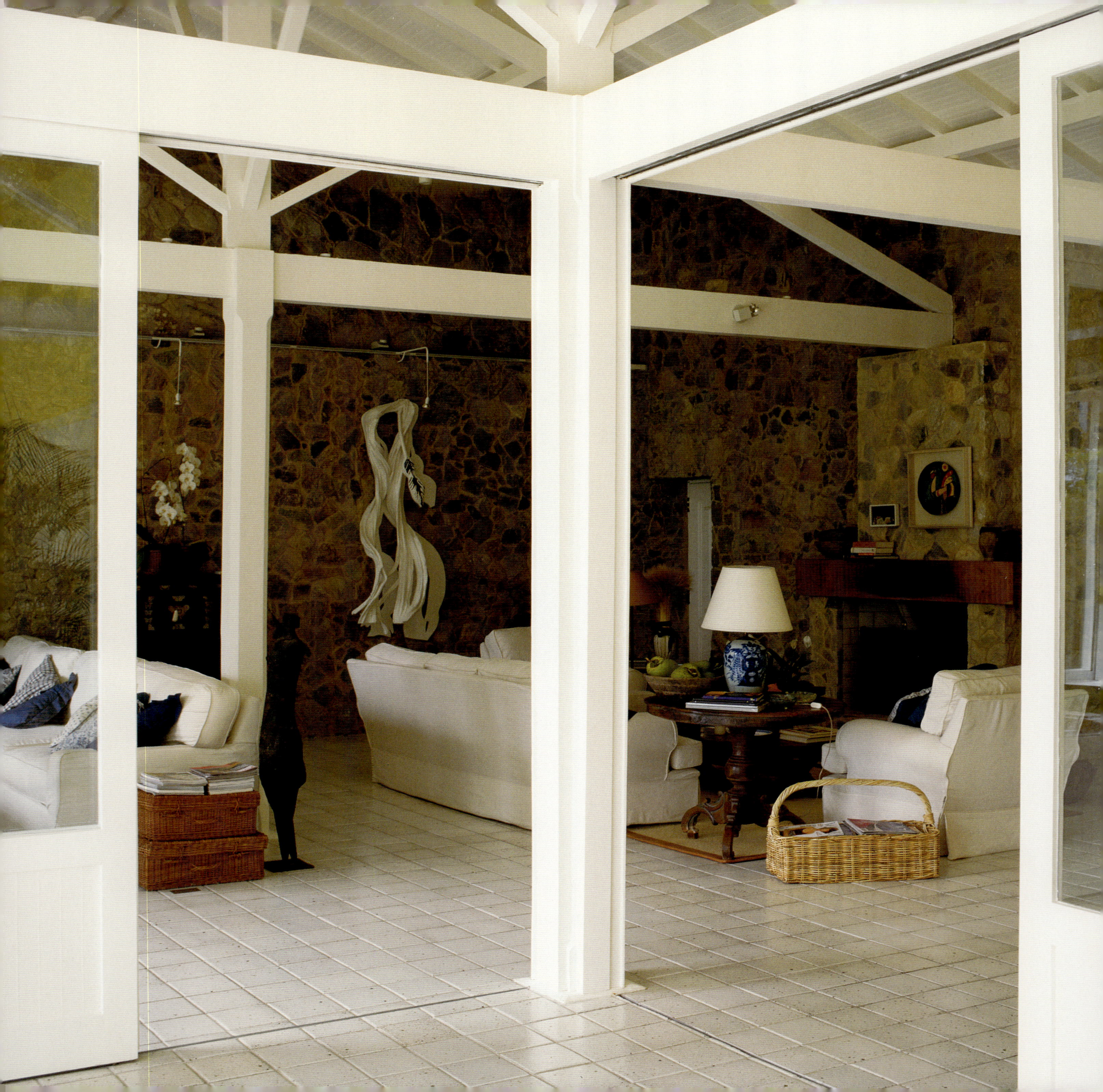

Vista do exterior da fazenda, completamente remodelada com o uso de elementos modernos no interior

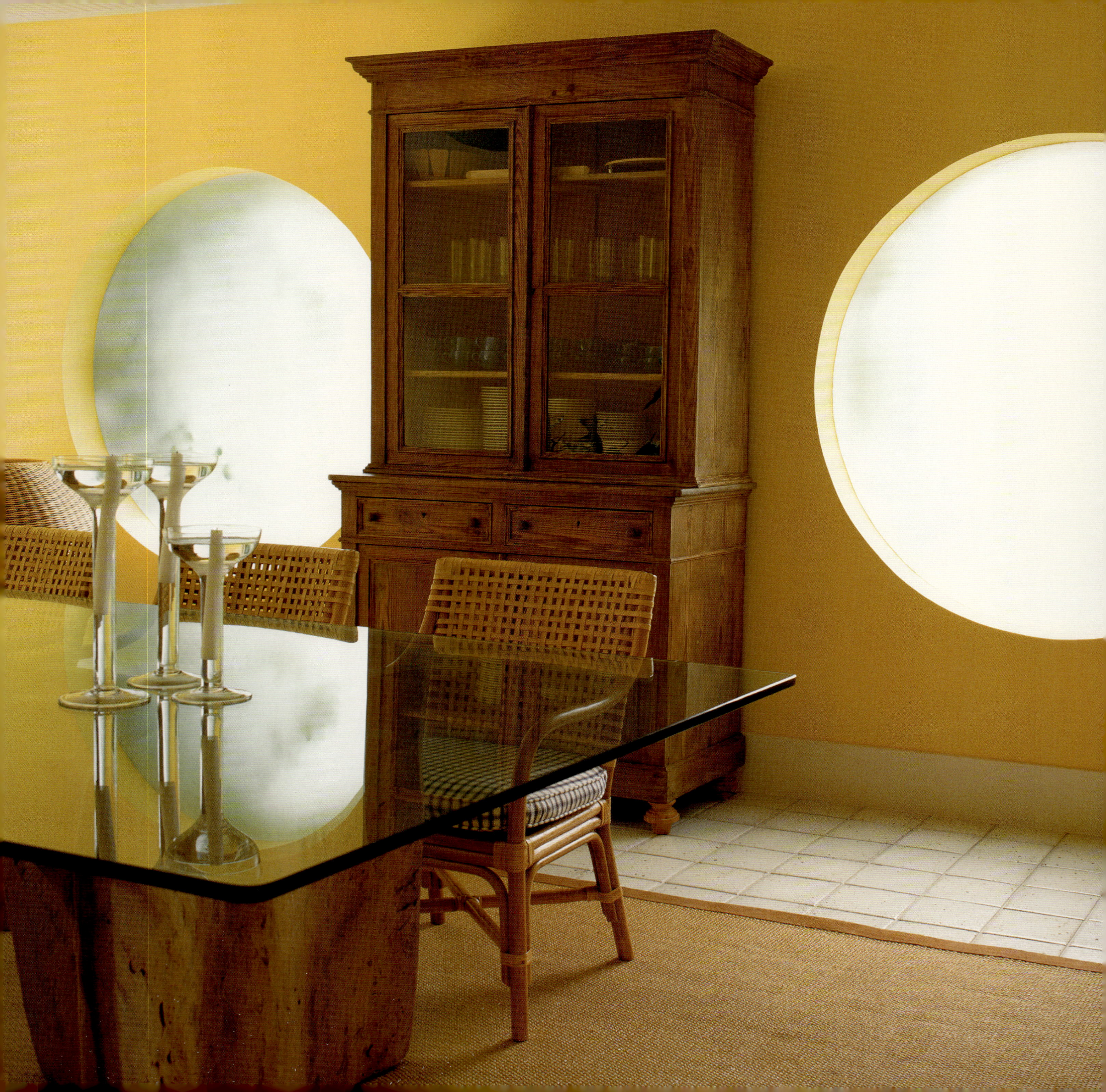

A atmosfera de modernidade criada com as intervenções na arquitetura existente, absorveu elementos coloniais usados de novas maneiras

A nova piscina privilegia a vista para o mar e é a ligação com a parte antiga da fazenda

A estrutura em aço é coberta eventualmente por um toldo em lona branca tensionada e na maioria por um jardim suspenso

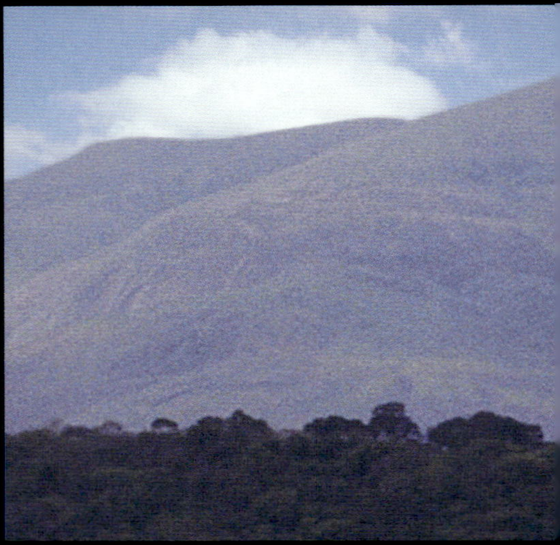

Serra

Casa Rosa 1987 *O cenário das montanhas da Serra de Araras domina o terreno e a casa. Os grandes vãos em vidro, com duplos pés-direitos, integram os espaços. A limpeza da arquitetura é dada pela qualidade na forma de se trabalhar a madeira.*

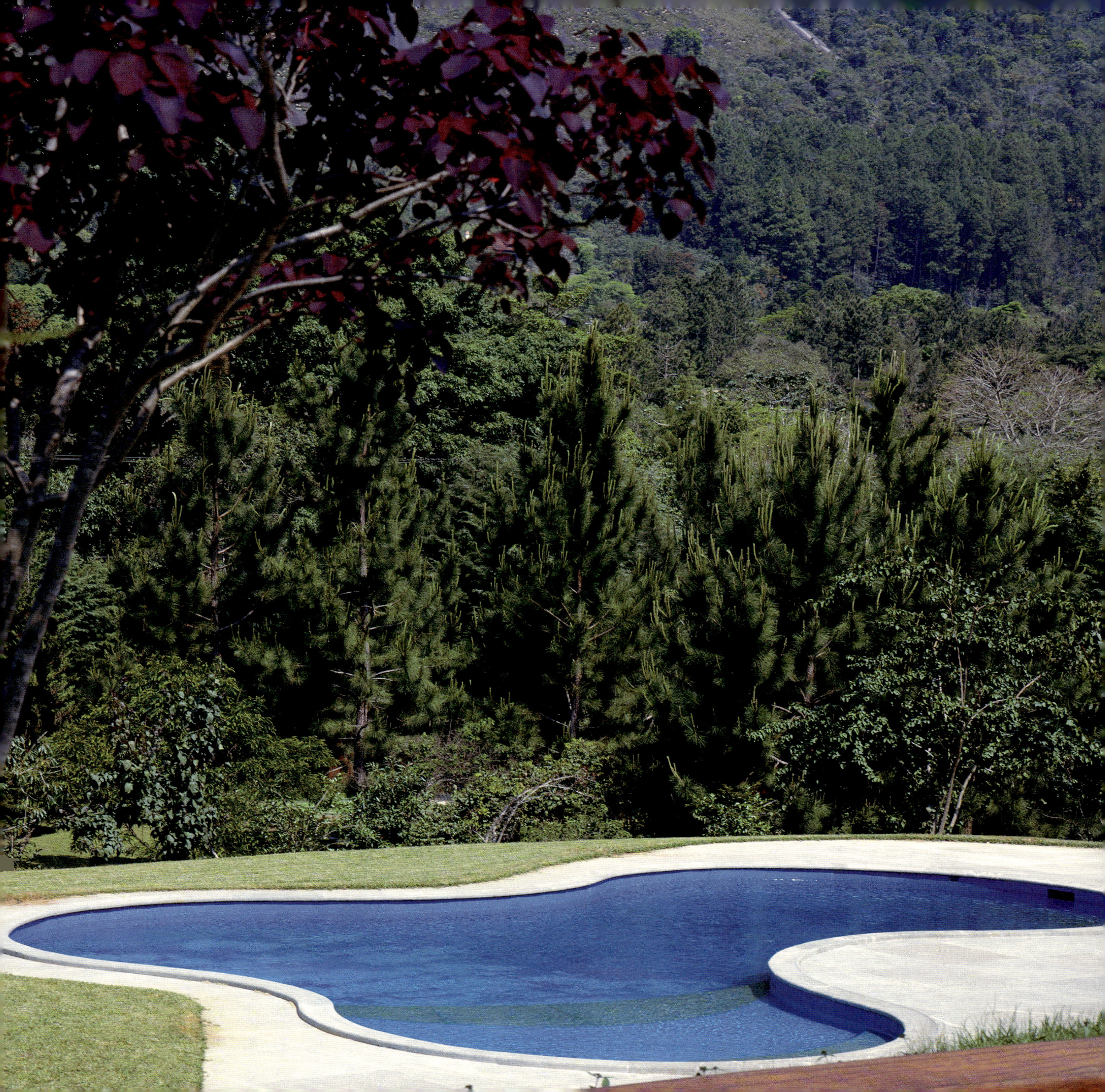

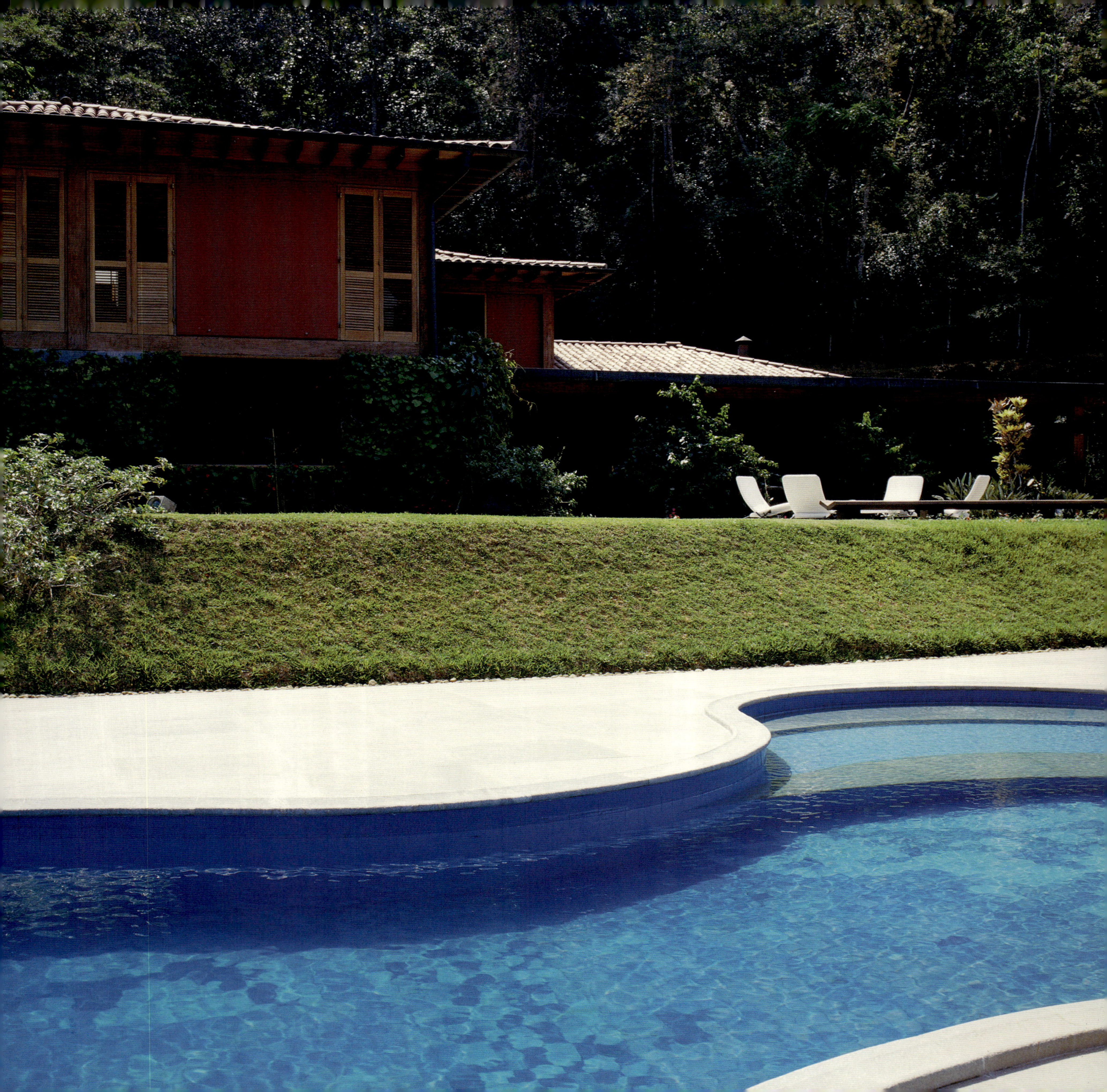

Tentamos rebater os diversos planos da cobertura para o interior da habitação conseguindo um movimento dos pés direitos dos vários ambientes

Casa da Ponte 1994

"Partimos de um riacho, fizemos uma ponte, depois fizemos a casa", diz Claudio Bernardes para descrever esse projeto. Parece simples, mas o arranjo da casa no terreno, com um respeito profundo pela exuberância dos jardins e criando uma simbiose com o riacho, isso só, sustenta o projeto.

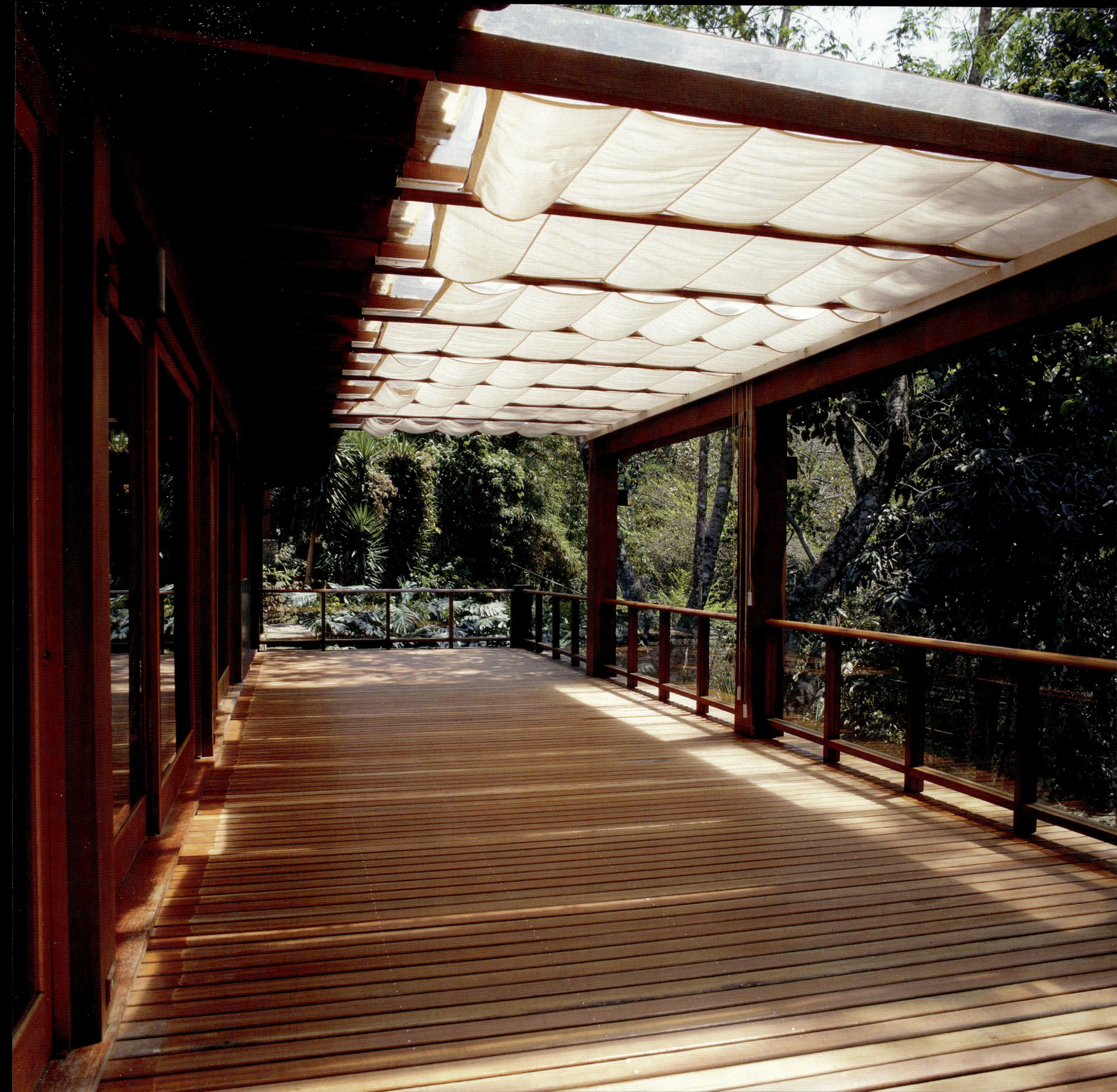

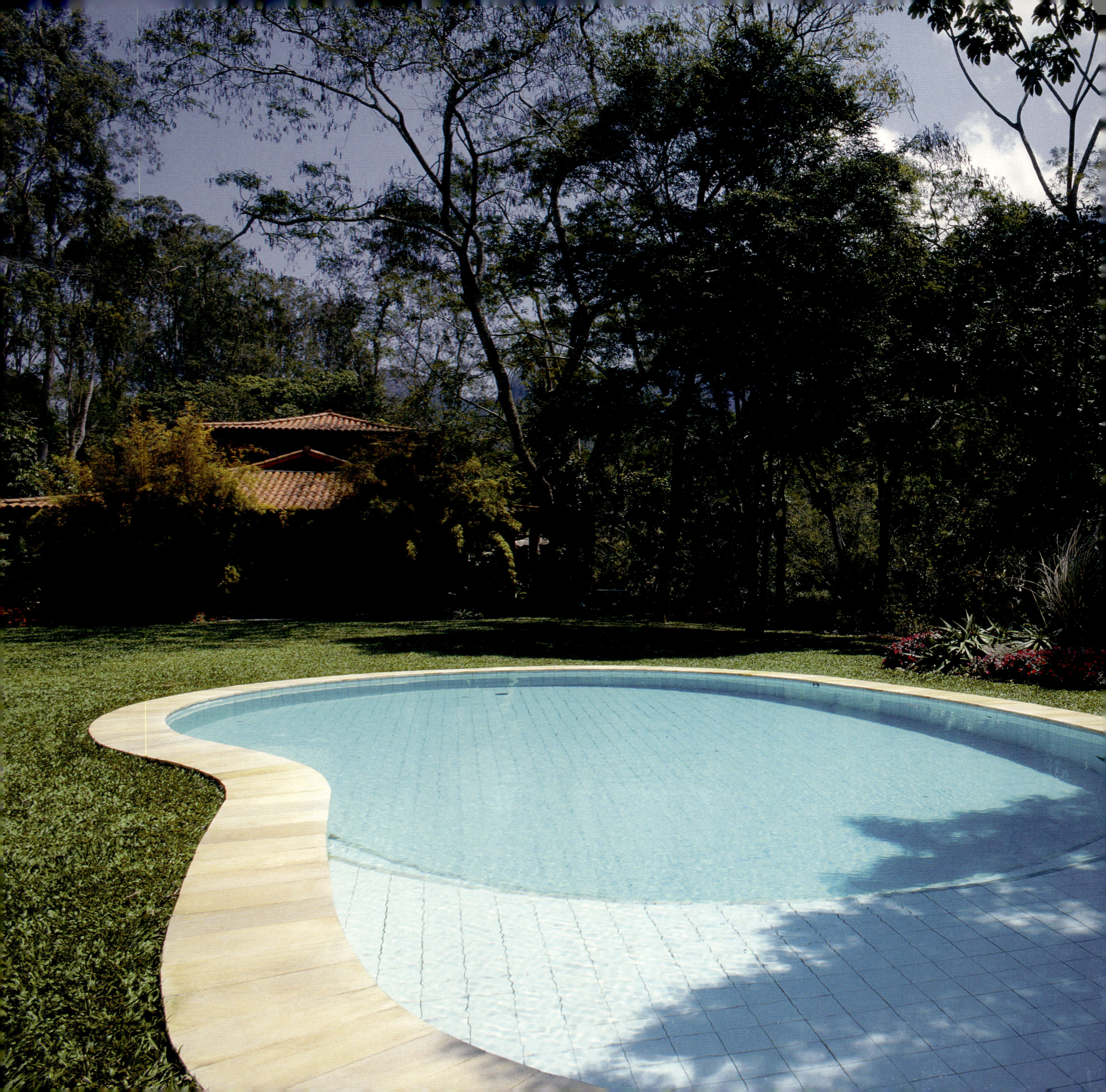

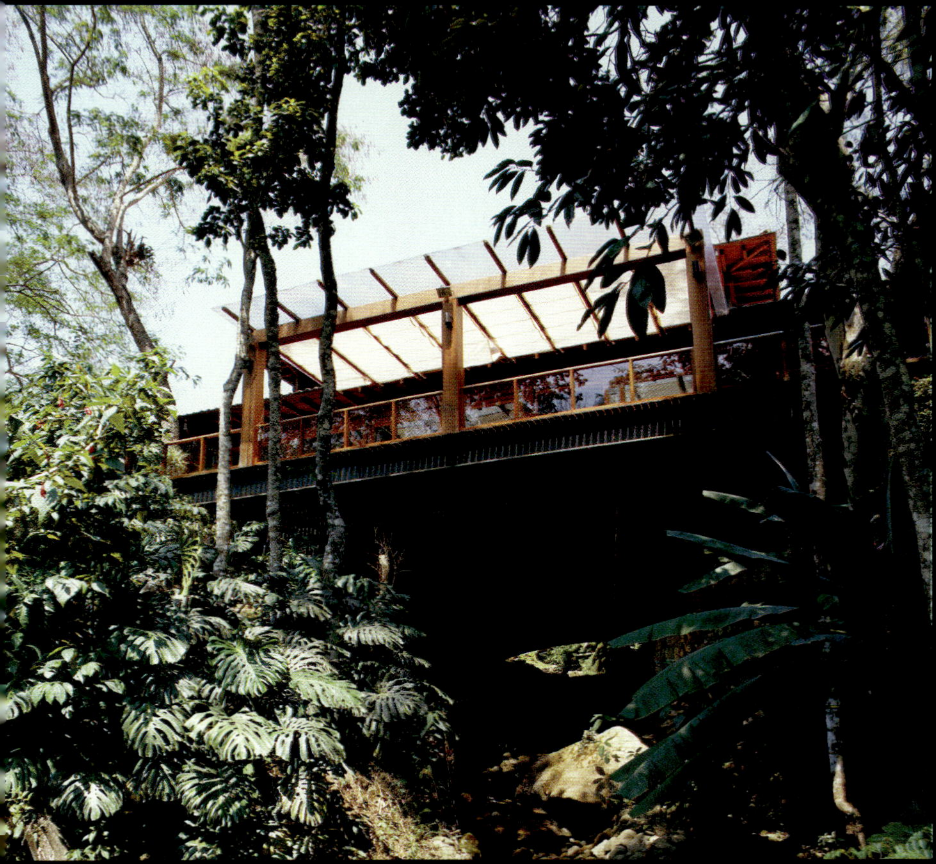

Os tijolões estruturados com peças de madeira. Uma procura da raiz da região

Pavilhão da Serra 1995 *O uso de elementos da arquitetura rural brasileira e sua integração com a geografia local foram os princípios do plano de arquitetura. Numa construção em um condomínio da região rural de Petrópolis descortinando uma linda vista, esta brasilidade foi dada não só pelo uso de materiais usuais na região como, por exemplo, tijolões artesanais e paredes armadas em madeira, como também um programa, em que as salas se misturam com a cozinha, dando a esta um caráter de convivência. Na parte externa da construção principal, as saunas, vestiários e banheiros, e todo o apoio à parte de piscina foi particularmente feliz com a colocação destas áreas sob um jardim de formas arredondadas. Esta sensação de um porão misterioso, meio bruta, foi dramatizada com o uso de pequenos domus em vidro que filtram a luz para o interior.*

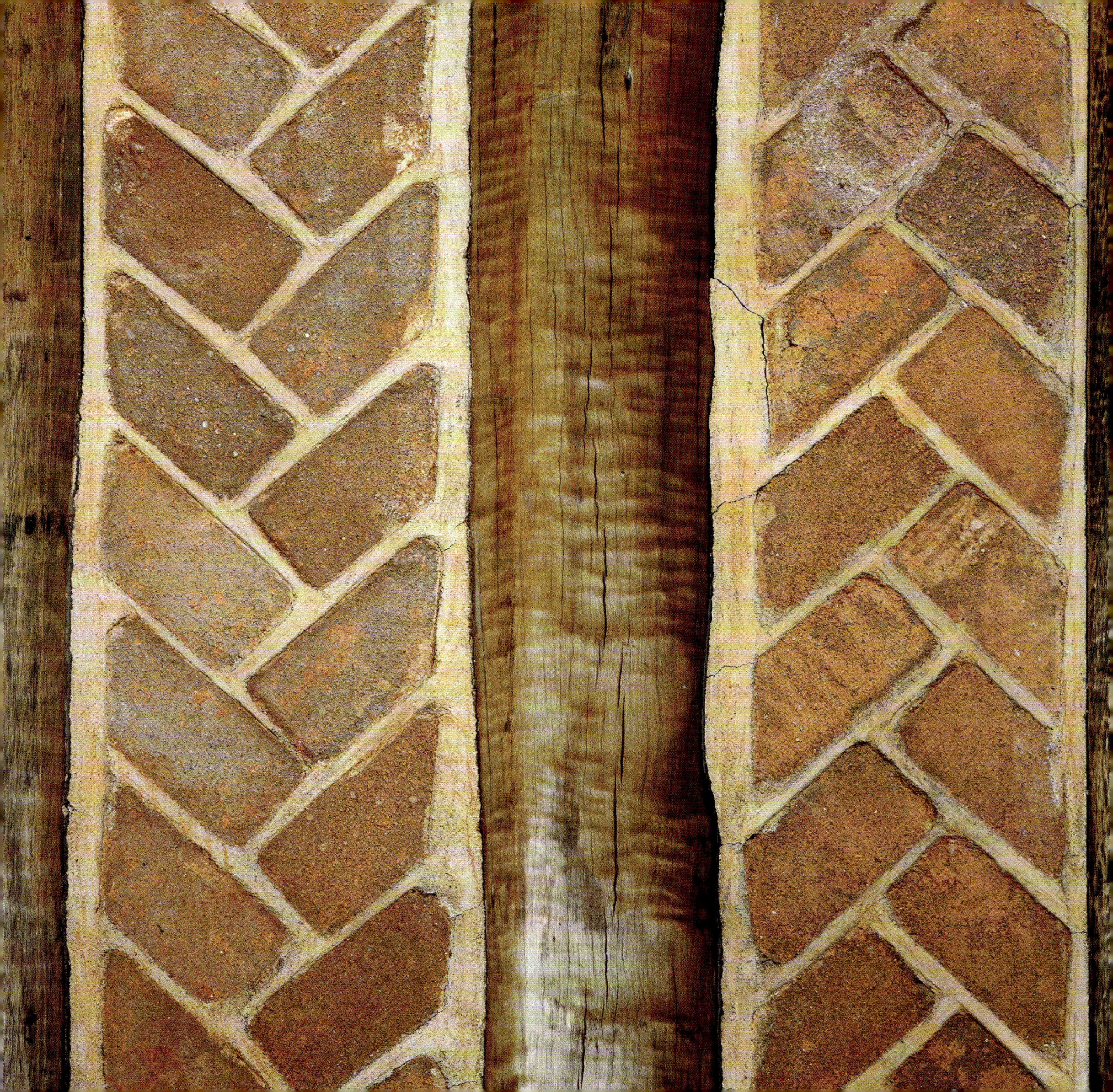

A implantação da casa no topo do terreno, descortinando a vista foi feita de forma que o observador não perceba a circulação dos carros. A interferência da arquitetura foi absorvida pelo paisagismo, pela delicadeza do projeto

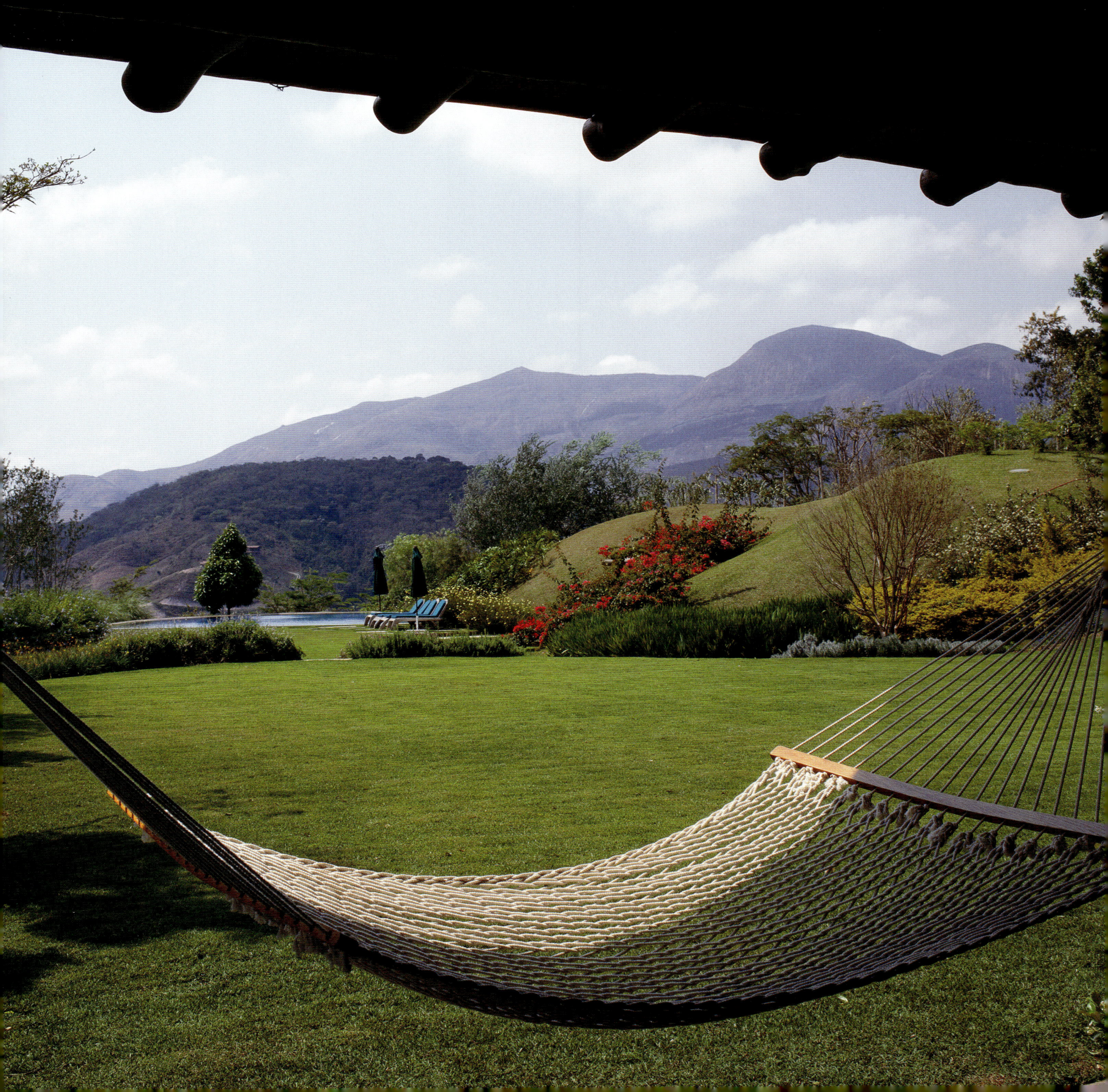

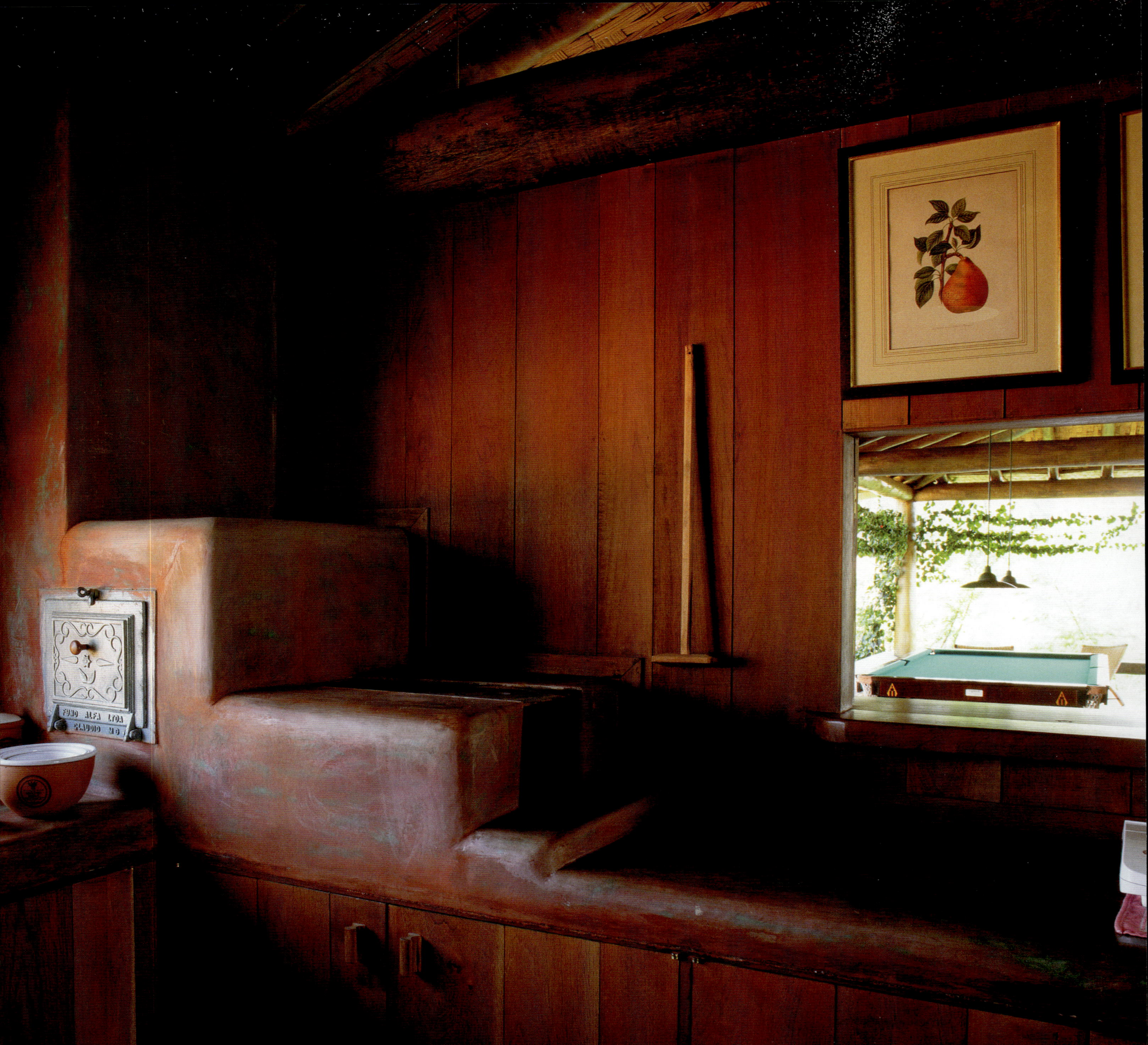
FUND ALFA LTDA
CLAUDIO MG

Os interiores foram desenhados em sintonia com a arquitetura. Os tons ocre e verde-escuro esquentam os ambientes criando uma atmosfera intimista

Essa construção que abriga o conjunto de sauna, jacuzzi e banheiros foi executada em concreto e depois coberta pelo jardim. Esse aspecto de *cave* tem um clima mágico. É como se voltássemos no tempo e fizéssemos do banho um ritual

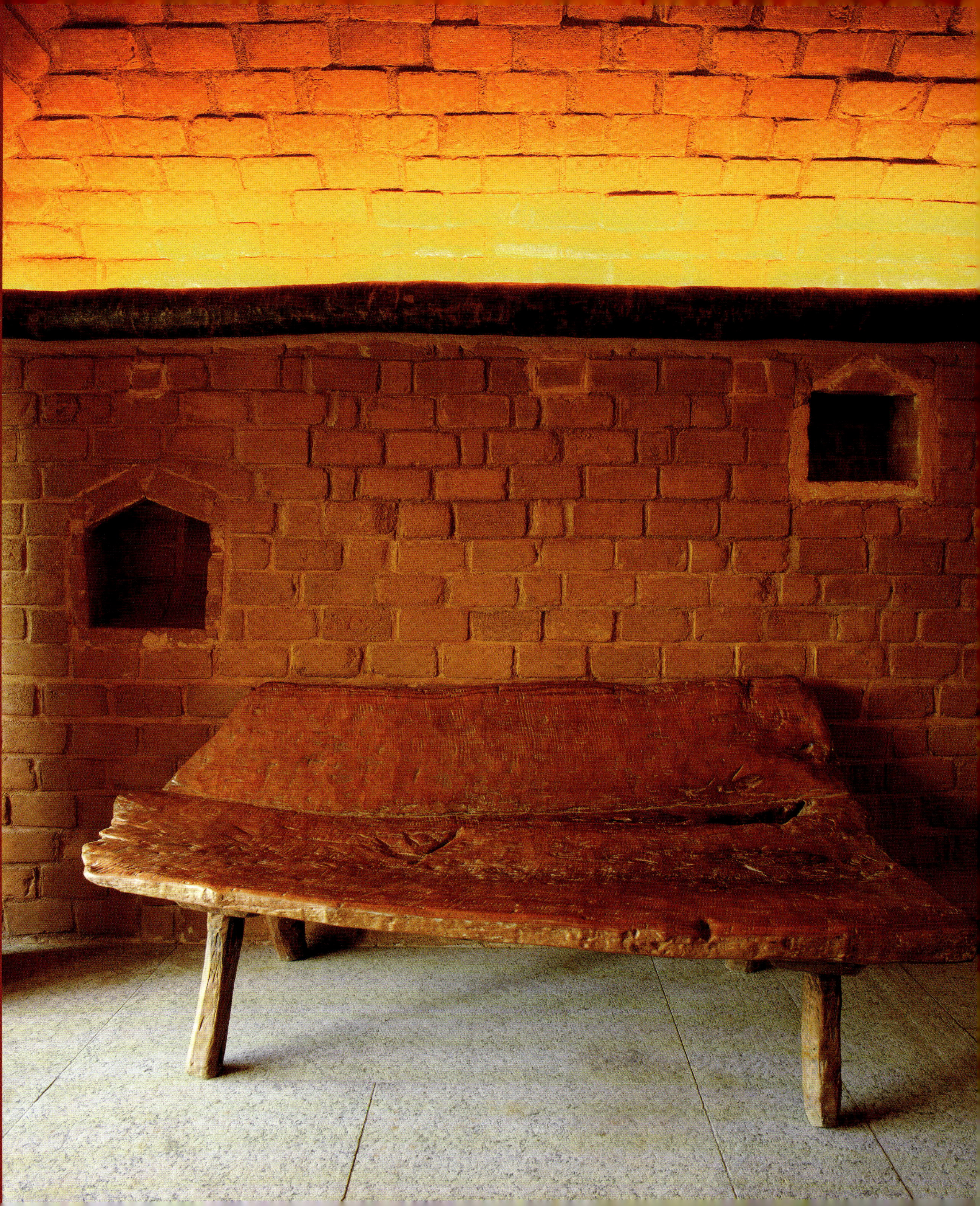

O jardim interno e as janelas do segundo piso iluminam a larga escada que conduz à suíte do casal

Casa Vermelha 1997

Uma casa de construção recente, na qual, mesmo com o jardim ainda em formação, é no entorno com suas suaves ondulações que se fixa o olhar. Esta foi a intenção do projeto: não competir com a paisagem. A casa foi implantada em frente à parte em que o terreno se eleva abruptamente, em contraposição a uma arquitetura horizontal, escondendo seu real tamanho. Isto demonstra a importância de um bom levantamento topográfico para o arquiteto. É como diz Fernando Chacel, autor do projeto de paisagismo: "As curvas de nível não mentem jamais".

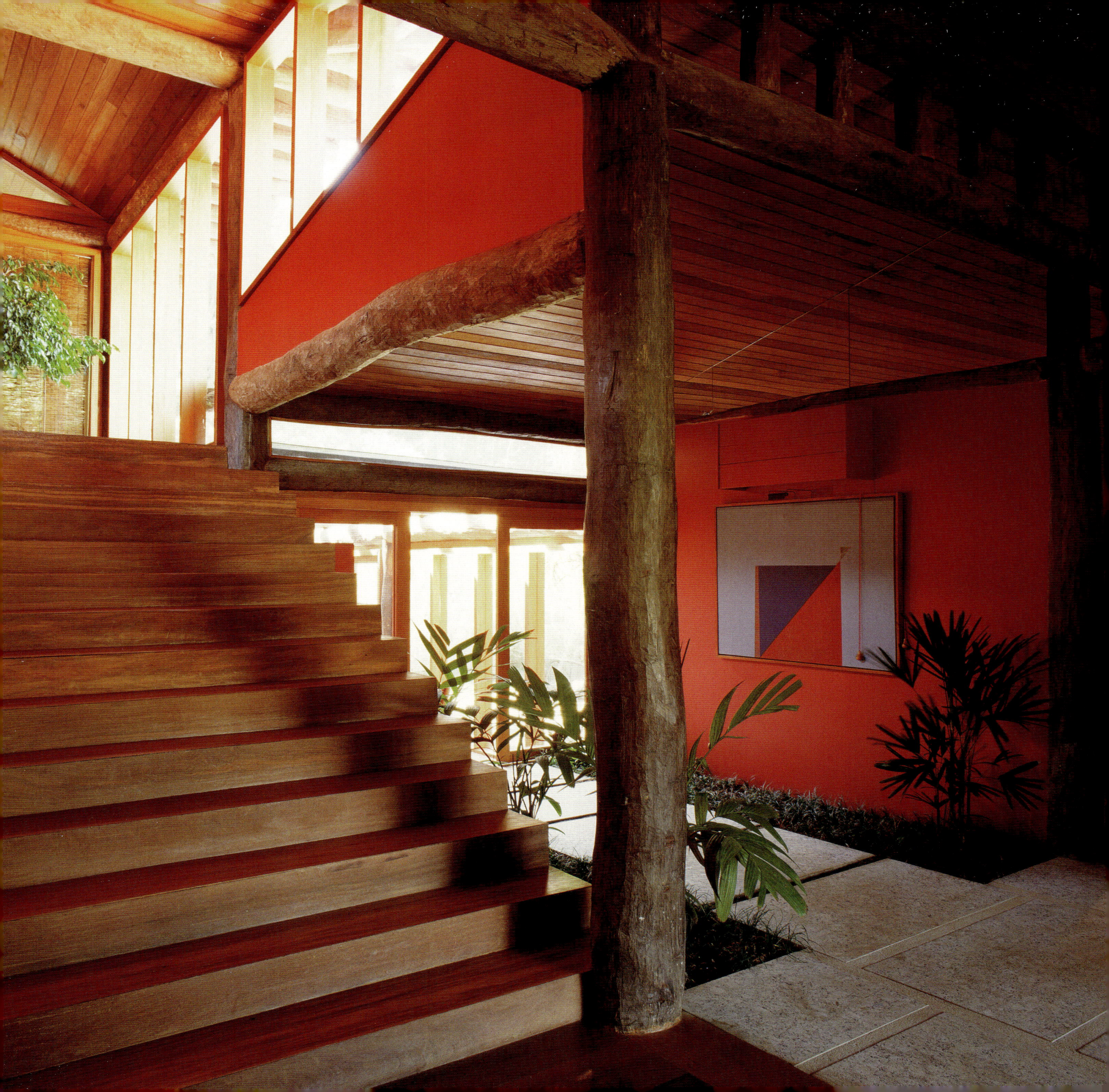

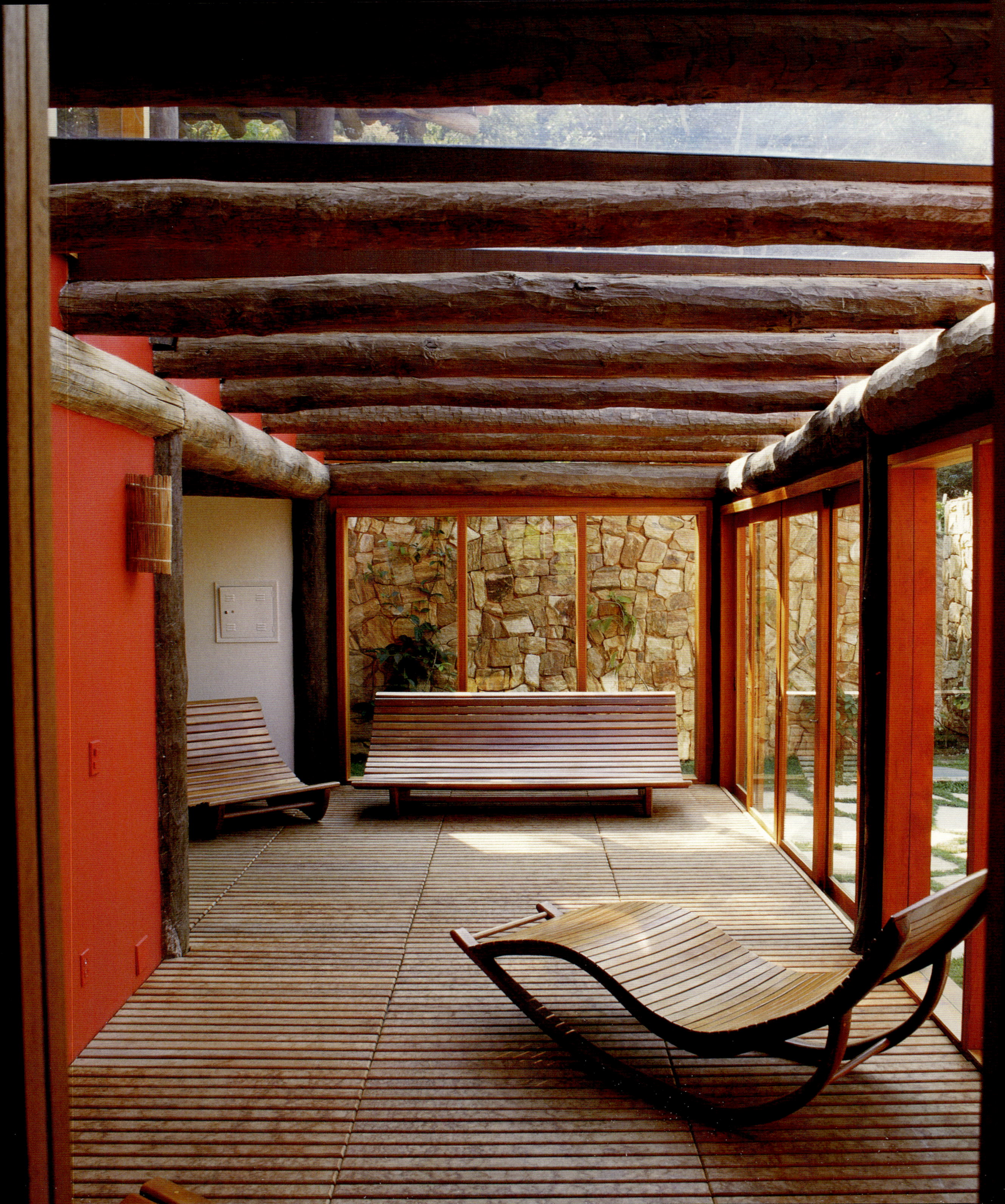

A casa foi orientada para que a sauna e a piscina fossem usadas durante todo o ano, protegidas do vento e ensolarada. A circulação para os quartos dos filhos passam por um jardim interno

Dados Internacioais de Catalogação na Publicação (CIP)
(Câmara Brasileira do Livro, SP, Brasil)

Bernardes, Claudio, 1949–
  A arquitetura de Claudio Bernardes / fotografia Tuca Reinés. — São Paulo : DBA Artes Gráficas. 1999.

  ISBN 85-7234-159-5

  1. Arquitetos – Brasil – Biografia 2. Bernardes, Claudio, 1949– I. Reinés, Tuca. II. Título.

99-2288 CDD–720.92

Índices par catálogo sistemático:
1. Arquitetos : Biografia e obra 720.92

Impresso no Brasil

Reimpressão

2009

DBA Dórea Books and Art

Al. Franca, 1185 cj. 31/32 cep 01422 001

Cerqueira César São Paulo SP Brasil

Tel (11) 3062 1643 Fax (11) 3088 3361

www.dbaeditora.com.br

e-mail: dba@dbaeditora.com.br